中國美術全集

石窟寺壁畫二

全國百佳圖书出版單位
時代出版傳媒股份有限公司
黃山書社

目　　錄

甘肅敦煌莫高窟（公元三六六年至公元一三六八年）

頁碼	名稱	時代	出土發現地	收藏地
251	飛天和千佛	北涼	甘肅敦煌莫高窟第272窟	
251	菩薩	北涼	甘肅敦煌市莫高窟第272窟	
252	毗楞竭梨王本生畫	北涼	甘肅敦煌市莫高窟第275窟	
253	菩薩	北涼	甘肅敦煌市莫高窟第275窟	
254	婆藪仙	北魏	甘肅敦煌市莫高窟第254窟	
254	鹿頭梵志	北魏	甘肅敦煌市莫高窟第254窟	
255	藥叉	北魏	甘肅敦煌市莫高窟第254窟	
256	白衣佛	北魏	甘肅敦煌市莫高窟第254窟	
257	說法像	北魏	甘肅敦煌市莫高窟第254窟	
258	聽法菩薩	北魏	甘肅敦煌市莫高窟第254窟	
259	尸毗王本生畫	北魏	甘肅敦煌市莫高窟第254窟	
260	聽法菩薩	北魏	甘肅敦煌市莫高窟第254窟	
262	降魔變	北魏	甘肅敦煌市莫高窟第254窟	
262	三魔女	北魏	甘肅敦煌市莫高窟第254窟	
263	魔將	北魏	甘肅敦煌市莫高窟第254窟	
264	群魔	北魏	甘肅敦煌市莫高窟第254窟	
266	薩埵太子本生畫	北魏	甘肅敦煌市莫高窟第254窟	
268	刺頸投崖	北魏	甘肅敦煌市莫高窟第254窟	
269	捨身飼虎	北魏	甘肅敦煌市莫高窟第254窟	
269	抱尸痛哭	北魏	甘肅敦煌市莫高窟第254窟	
270	沙彌守戒自殺因緣畫	北魏	甘肅敦煌市莫高窟第257窟	
270	鹿王本生與須摩提女因緣畫	北魏	甘肅敦煌市莫高窟第257窟	
271	須摩提女因緣畫	北魏	甘肅敦煌市莫高窟第257窟	
272	立佛	北魏	甘肅敦煌市莫高窟第257窟	
273	說法圖	北魏	甘肅敦煌市莫高窟第251窟	
274	窟頂平棋	北魏	甘肅敦煌市莫高窟第251窟	
274	千佛及供養比丘	北魏	甘肅敦煌市莫高窟第263窟	
275	飛天	北魏	甘肅敦煌市莫高窟第260窟	

頁碼	名稱	時代	出土發現地	收藏地
275	供養天人	北魏	甘肅敦煌市莫高窟第260窟	
276	白衣佛	北魏	甘肅敦煌市莫高窟第435窟	
277	説法圖	北魏	甘肅敦煌市莫高窟第435窟	
277	菩薩	北魏	甘肅敦煌市莫高窟第435窟	
278	飛天	北魏	甘肅敦煌市莫高窟第435窟	
278	天宮伎樂	北魏	甘肅敦煌市莫高窟第435窟	
279	平棋圖案	北魏	甘肅敦煌市莫高窟第435窟	
280	窟頂壁畫	北魏	甘肅敦煌市莫高窟第431窟	
281	供養菩薩	北魏	甘肅敦煌市莫高窟第248窟	
282	鹿頭梵志及供養菩薩	西魏	甘肅敦煌市莫高窟第249窟	
282	飛天	西魏	甘肅敦煌市莫高窟第249窟	
283	説法圖	西魏	甘肅敦煌市莫高窟第249窟	
284	阿修羅天	西魏	甘肅敦煌市莫高窟第249窟	
286	雷神	西魏	甘肅敦煌市莫高窟第249窟	
286	野猪	西魏	甘肅敦煌市莫高窟第249窟	
287	野牛	西魏	甘肅敦煌市莫高窟第249窟	
287	捧珠力士	西魏	甘肅敦煌市莫高窟第249窟	
288	西王母出行	西魏	甘肅敦煌市莫高窟第249窟	
290	西王母	西魏	甘肅敦煌市莫高窟第249窟	
291	狩獵	西魏	甘肅敦煌市莫高窟第249窟	
292	莫高窟第285窟西壁壁畫	西魏	甘肅敦煌市莫高窟第285窟	
294	化生童子	西魏	甘肅敦煌市莫高窟第285窟	
296	供養菩薩	西魏	甘肅敦煌市莫高窟第285窟	
297	菩薩	西魏	甘肅敦煌市莫高窟第285窟	
298	諸天　外道	西魏	甘肅敦煌市莫高窟第285窟	
300	諸天神王	西魏	甘肅敦煌市莫高窟第285窟	
300	婆藪仙	西魏	甘肅敦煌市莫高窟第285窟	
301	供養比丘	西魏	甘肅敦煌市莫高窟第285窟	
302	莫高窟第285窟北壁壁畫	西魏	甘肅敦煌市莫高窟第285窟	
304	七佛局部	西魏	甘肅敦煌市莫高窟第285窟	
304	二佛并坐像	西魏	甘肅敦煌市莫高窟第285窟	
305	孔雀龕楣	西魏	甘肅敦煌市莫高窟第285窟	
305	菩薩	西魏	甘肅敦煌市莫高窟第285窟	
306	莫高窟第285窟南壁壁畫	西魏	甘肅敦煌市莫高窟第285窟	

頁碼	名稱	時代	出土發現地	收藏地
308	五百强盜成佛因緣畫	西魏	甘肅敦煌市莫高窟第285窟	
310	飛天	西魏	甘肅敦煌市莫高窟第285窟	
312	莫高窟第285窟東壁壁畫	西魏	甘肅敦煌市莫高窟第285窟	
314	莫高窟第285窟窟頂東披壁畫	西魏	甘肅敦煌市莫高窟第285窟	
316	天鵝	西魏	甘肅敦煌市莫高窟第285窟	
316	禪修	西魏	甘肅敦煌市莫高窟第285窟	
317	莫高窟第285窟窟頂北披壁畫	西魏	甘肅敦煌市莫高窟第285窟	
318	天象圖	西魏	甘肅敦煌市莫高窟第285窟	
318	禪修	西魏	甘肅敦煌市莫高窟第285窟	
319	莫高窟第285窟窟頂南披壁畫	西魏	甘肅敦煌市莫高窟第285窟	
320	藻井圖案	西魏	甘肅敦煌市莫高窟第285窟	
321	莫高窟第288窟窟室壁畫	西魏	甘肅敦煌市莫高窟第288窟	
322	藥叉	西魏	甘肅敦煌市莫高窟第288窟	
322	平棋圖案	西魏	甘肅敦煌市莫高窟第288窟	
323	天宮伎樂	西魏	甘肅敦煌市莫高窟第288窟	
324	佛及供養菩薩、比丘	北周	甘肅敦煌市莫高窟第461窟	
325	盧舍那佛	北周	甘肅敦煌市莫高窟第428窟	
326	降魔變	北周	甘肅敦煌市莫高窟第428窟	
328	涅槃	北周	甘肅敦煌市莫高窟第428窟	
328	須達拏太子本生畫	北周	甘肅敦煌市莫高窟第428窟	
329	金剛寶座塔	北周	甘肅敦煌市莫高窟第428窟	
330	薩埵太子本生畫	北周	甘肅敦煌市莫高窟第428窟	
330	供養人	北周	甘肅敦煌市莫高窟第428窟	
331	平棋圖案	北周	甘肅敦煌市莫高窟第428窟	
332	飛天	北周	甘肅敦煌市莫高窟第428窟	
332	圖案	北周	甘肅敦煌市莫高窟第428窟	
333	蓮花飛天紋藻井圖案	北周	甘肅敦煌市莫高窟第296窟	
334	善事太子入海品	北周	甘肅敦煌市莫高窟第296窟	
335	說法圖與飛天	北周	甘肅敦煌市莫高窟第290窟	
336	佛傳畫	北周	甘肅敦煌市莫高窟第290窟	
336	胡人馴馬圖	北周	甘肅敦煌市莫高窟第290窟	
337	睒子本生畫	北周	甘肅敦煌市莫高窟第299窟	
338	睒子本生畫	北周	甘肅敦煌市莫高窟第301窟	
338	供養人和牛車	北周	甘肅敦煌市莫高窟第301窟	

頁碼	名稱	時代	出土發現地	收藏地
339	釋迦說法圖	隋	甘肅敦煌市莫高窟第302窟	
340	本生畫	隋	甘肅敦煌市莫高窟第302窟	
340	本生故事及福田經變畫	隋	甘肅敦煌市莫高窟第302窟	
342	說法圖	隋	甘肅敦煌市莫高窟第302窟	
343	二佛并坐圖及供養人	隋	甘肅敦煌市莫高窟第303窟	
344	法華經變普門品	隋	甘肅敦煌市莫高窟第303窟	
344	法華經變普門品	隋	甘肅敦煌市莫高窟第303窟	
345	說法圖	隋	甘肅敦煌市莫高窟第433窟	
346	莫高窟第305窟窟頂壁畫	隋	甘肅敦煌市莫高窟第305窟	
348	帝釋天	隋	甘肅敦煌市莫高窟第305窟	
348	帝釋天妃	隋	甘肅敦煌市莫高窟第305窟	
349	說法圖	隋	甘肅敦煌市莫高窟第305窟	
349	供養人	隋	甘肅敦煌市莫高窟第305窟	
350	彌勒上生經變畫	隋	甘肅敦煌市莫高窟第423窟	
351	供養菩薩	隋	甘肅敦煌市莫高窟第295窟	
352	涅槃	隋	甘肅敦煌市莫高窟第295窟	
354	藻井圖案	隋	甘肅敦煌市莫高窟第311窟	
355	雙獅	隋	甘肅敦煌市莫高窟第292窟	
355	供養菩薩	隋	甘肅敦煌市莫高窟第420窟	
356	維摩詰經變問疾品文殊像	隋	甘肅敦煌市莫高窟第420窟	
357	維摩詰經變問疾品維摩詰像	隋	甘肅敦煌市莫高窟第420窟	
358	菩薩	隋	甘肅敦煌市莫高窟第420窟	
359	藻井圖案	隋	甘肅敦煌市莫高窟第420窟	
360	法華經變畫	隋	甘肅敦煌市莫高窟第420窟	
360	法華經變畫	隋	甘肅敦煌市莫高窟第420窟	
362	涅槃	隋	甘肅敦煌市莫高窟第420窟	
362	觀音救難	隋	甘肅敦煌市莫高窟第420窟	
363	菩薩	隋	甘肅敦煌市莫高窟第402窟	
364	須達拏太子本生畫	隋	甘肅敦煌市莫高窟第419窟	
366	莫高窟第407窟窟頂壁畫	隋	甘肅敦煌市莫高窟第407窟	
368	弟子	隋	甘肅敦煌市莫高窟第280窟	
369	乘象入胎	隋	甘肅敦煌市莫高窟第280窟	
369	授經說法	隋	甘肅敦煌市莫高窟第280窟	
370	逾城出家	隋	甘肅敦煌市莫高窟第278窟	

頁碼	名稱	時代	出土發現地	收藏地
371	乘象入胎	隋	甘肅敦煌市莫高窟第278窟	
372	菩薩	隋	甘肅敦煌市莫高窟第278窟	
372	菩薩	隋	甘肅敦煌市莫高窟第278窟	
373	弟子	隋	甘肅敦煌市莫高窟第278窟	
374	文殊菩薩	隋	甘肅敦煌市莫高窟第276窟	
375	觀世音菩薩和迦葉	隋	甘肅敦煌市莫高窟第276窟	
376	持拂塵天女	隋	甘肅敦煌市莫高窟第62窟	
377	供養人及牛車	隋	甘肅敦煌市莫高窟第62窟	
377	彌勒菩薩説法圖	隋	甘肅敦煌市莫高窟第313窟	
378	飛天	隋	甘肅敦煌市莫高窟第313窟	
378	藻井圖案	隋	甘肅敦煌市莫高窟第401窟	
379	天王	隋	甘肅敦煌市莫高窟第313窟	
379	説法圖	隋	甘肅敦煌市莫高窟第314窟	
380	文殊菩薩	隋	甘肅敦煌市莫高窟第314窟	
380	維摩詰	隋	甘肅敦煌市莫高窟第314窟	
381	菩薩	隋	甘肅敦煌市莫高窟第394窟	
381	供養童子	隋	甘肅敦煌市莫高窟第398窟	
382	莫高窟第398窟龕頂壁畫	隋	甘肅敦煌市莫高窟第398窟	
384	靈鷲山釋迦説法圖	隋	甘肅敦煌市莫高窟第394窟	
385	菩提和華蓋	隋	甘肅敦煌市莫高窟第394窟	
385	藥叉	隋	甘肅敦煌市莫高窟第394窟	
386	乘象入胎	隋	甘肅敦煌市莫高窟第397窟	
387	逾城出家	隋	甘肅敦煌市莫高窟第397窟	
388	藻井圖案	隋	甘肅敦煌市莫高窟第397窟	
389	藻井圖案	隋	甘肅敦煌市莫高窟第392窟	
390	弟子	隋	甘肅敦煌市莫高窟第244窟	
390	供養菩薩	隋	甘肅敦煌市莫高窟第244窟	
391	説法圖	隋	甘肅敦煌市莫高窟第244窟	
392	藻井圖案	隋	甘肅敦煌市莫高窟第388窟	
393	彌勒説法圖	隋	甘肅敦煌市莫高窟第390窟	
394	飛天	隋	甘肅敦煌市莫高窟第390窟	
394	龕頂壁畫	隋	甘肅敦煌市莫高窟第389窟	
395	菩薩	隋	甘肅敦煌市莫高窟第389窟	
395	維摩詰經變問疾品文殊菩薩	隋	甘肅敦煌市莫高窟第380窟	

頁碼	名稱	時代	出土發現地	收藏地
396	天王	隋	甘肅敦煌市莫高窟第380窟	
396	天王	隋	甘肅敦煌市莫高窟第380窟	
397	藻井圖案	隋	甘肅敦煌市莫高窟第380窟	
398	乘象入胎	唐	甘肅敦煌市莫高窟第375窟	
398	逾城出家	唐	甘肅敦煌市莫高窟第375窟	
399	供養菩薩	唐	甘肅敦煌市莫高窟第401窟	
400	并立菩薩	唐	甘肅敦煌市莫高窟第57窟	
401	思惟菩薩	唐	甘肅敦煌市莫高窟第57窟	
401	菩薩	唐	甘肅敦煌市莫高窟第57窟	
402	菩薩	唐	甘肅敦煌市莫高窟第57窟	
402	菩薩	唐	甘肅敦煌市莫高窟第57窟	
403	觀世音菩薩	唐	甘肅敦煌市莫高窟第57窟	
404	説法圖	唐	甘肅敦煌市莫高窟第322窟	
405	説法圖	唐	甘肅敦煌市莫高窟第322窟	
405	供養菩薩	唐	甘肅敦煌市莫高窟第220窟	
406	聽法菩薩	唐	甘肅敦煌市莫高窟第220窟	
407	維摩詰居士	唐	甘肅敦煌市莫高窟第220窟	
408	阿彌陀經變畫	唐	甘肅敦煌市莫高窟第220窟	
410	阿彌陀佛	唐	甘肅敦煌市莫高窟第220窟	
411	樂隊	唐	甘肅敦煌市莫高窟第220窟	
412	樂隊	唐	甘肅敦煌市莫高窟第220窟	
413	馬夫與馬	唐	甘肅敦煌市莫高窟第431窟	
413	未生怨故事畫	唐	甘肅敦煌市莫高窟第209窟	
414	山中説法	唐	甘肅敦煌市莫高窟第209窟	
415	菩薩與天王	唐	甘肅敦煌市莫高窟第209窟	
416	莫高窟第209窟窟頂壁畫	唐	甘肅敦煌市莫高窟第209窟	
418	水池樓臺	唐	甘肅敦煌市莫高窟第321窟	
419	十一面觀音	唐	甘肅敦煌市莫高窟第321窟	
420	供養天	唐	甘肅敦煌市莫高窟第321窟	
421	飛天	唐	甘肅敦煌市莫高窟第321窟	
421	説法圖	唐	甘肅敦煌市莫高窟第329窟	
422	藻井圖案	唐	甘肅敦煌市莫高窟第329窟	
423	女供養人	唐	甘肅敦煌市莫高窟第329窟	
423	外道女	唐	甘肅敦煌市莫高窟第335窟	

頁碼	名稱	時代	出土發現地	收藏地
424	維摩詰經變畫	唐	甘肅敦煌市莫高窟第335窟	
426	勞度叉	唐	甘肅敦煌市莫高窟第335窟	
426	佛教史迹畫	唐	甘肅敦煌市莫高窟第323窟	
427	曇延祈雨圖	唐	甘肅敦煌市莫高窟第323窟	
428	菩薩	唐	甘肅敦煌市莫高窟第372窟	
429	藻井圖案	唐	甘肅敦煌市莫高窟第372窟	
430	彌勒上生經變畫	唐	甘肅敦煌市莫高窟第338窟	
432	菩薩	唐	甘肅敦煌市莫高窟第71窟	
433	説法圖	唐	甘肅敦煌市莫高窟第334窟	
433	十一面觀音	唐	甘肅敦煌市莫高窟第334窟	
434	佛像頭光	唐	甘肅敦煌市莫高窟第334窟	
435	天女	唐	甘肅敦煌市莫高窟第334窟	
435	菩薩	唐	甘肅敦煌市莫高窟第334窟	
436	大勢至菩薩	唐	甘肅敦煌市莫高窟第217窟	
436	弟子	唐	甘肅敦煌市莫高窟第217窟	
437	説法圖	唐	甘肅敦煌市莫高窟第217窟	
437	菩薩	唐	甘肅敦煌市莫高窟第217窟	
438	剃度	唐	甘肅敦煌市莫高窟第217窟	
439	拜塔	唐	甘肅敦煌市莫高窟第217窟	
440	十六觀	唐	甘肅敦煌市莫高窟第217窟	
441	菩薩	唐	甘肅敦煌市莫高窟第217窟	
442	阿彌陀佛	唐	甘肅敦煌市莫高窟第217窟	
443	説法圖	唐	甘肅敦煌市莫高窟第217窟	
443	樂舞天人	唐	甘肅敦煌市莫高窟第217窟	
444	聽法菩薩	唐	甘肅敦煌市莫高窟第328窟	
445	菩薩	唐	甘肅敦煌市莫高窟第45窟	
445	奏樂天人	唐	甘肅敦煌市莫高窟第45窟	
446	十六觀	唐	甘肅敦煌市莫高窟第45窟	
446	未生怨	唐	甘肅敦煌市莫高窟第45窟	
447	觀世音菩薩	唐	甘肅敦煌市莫高窟第45窟	
448	觀音經變畫	唐	甘肅敦煌市莫高窟第45窟	
449	飛天	唐	甘肅敦煌市莫高窟第39窟	
450	飛天	唐	甘肅敦煌市莫高窟第39窟	
451	菩薩	唐	甘肅敦煌市莫高窟第33窟	

頁碼	名稱	時代	出土發現地	收藏地
452	菩薩	唐	甘肅敦煌市莫高窟第103窟	
453	法華經變化城喻品	唐	甘肅敦煌市莫高窟第103窟	
454	文殊菩薩	唐	甘肅敦煌市莫高窟第103窟	
455	維摩詰	唐	甘肅敦煌市莫高窟第103窟	
456	菩薩	唐	甘肅敦煌市莫高窟第23窟	
457	法華經變畫	唐	甘肅敦煌市莫高窟第23窟	
458	法華經變觀音普門品	唐	甘肅敦煌市莫高窟第23窟	
459	女供養人	唐	甘肅敦煌市莫高窟第225窟	
459	舞蹈	唐	甘肅敦煌市莫高窟第445窟	
460	彌勒下生經變畫	唐	甘肅敦煌市莫高窟第445窟	
462	剃度	唐	甘肅敦煌市莫高窟第445窟	
462	伎樂	唐	甘肅敦煌市莫高窟第445窟	
463	弟子	唐	甘肅敦煌市莫高窟第444窟	
463	觀世音菩薩	唐	甘肅敦煌市莫高窟第320窟	
464	藻井圖案	唐	甘肅敦煌市莫高窟第320窟	
465	觀無量壽經變畫	唐	甘肅敦煌市莫高窟第320窟	
465	山水	唐	甘肅敦煌市莫高窟第172窟	
466	聽法菩薩和天人	唐	甘肅敦煌市莫高窟第172窟	
467	菩薩	唐	甘肅敦煌市莫高窟第79窟	
467	供養菩薩	唐	甘肅敦煌市莫高窟第172窟	
468	飛天	唐	甘肅敦煌市莫高窟第172窟	
469	十六觀	唐	甘肅敦煌市莫高窟第171窟	
470	藻井圖案	唐	甘肅敦煌市莫高窟第79窟	
471	菩薩與火天神	唐	甘肅敦煌市莫高窟第148窟	
471	菩薩	唐	甘肅敦煌市莫高窟第148窟	
472	菩薩	唐	甘肅敦煌市莫高窟第148窟	
473	文殊菩薩	唐	甘肅敦煌市莫高窟第148窟	
473	普賢菩薩	唐	甘肅敦煌市莫高窟第148窟	
474	藥師經變畫	唐	甘肅敦煌市莫高窟第148窟	
476	藥師經變畫	唐	甘肅敦煌市莫高窟第148窟	
477	藥師經變畫	唐	甘肅敦煌市莫高窟第148窟	
478	觀無量壽經變畫	唐	甘肅敦煌市莫高窟第148窟	
480	舞樂	唐	甘肅敦煌市莫高窟第148窟	
482	馴馬車	唐	甘肅敦煌市莫高窟第148窟	

頁碼	名稱	時代	出土發現地	收藏地
483	大勢至菩薩	唐	甘肅敦煌市莫高窟第199窟	
484	觀無量壽經變畫	唐	甘肅敦煌市莫高窟第112窟	
485	舞蹈	唐	甘肅敦煌市莫高窟第112窟	
485	弟子	唐	甘肅敦煌市莫高窟第112窟	
486	聽法圖	唐	甘肅敦煌市莫高窟第112窟	
487	力士	唐	甘肅敦煌市莫高窟第112窟	
488	舞樂	唐	甘肅敦煌市莫高窟第112窟	
488	舞樂	唐	甘肅敦煌市莫高窟第112窟	
489	菩薩與弟子	唐	甘肅敦煌市莫高窟第158窟	
490	舉哀王子	唐	甘肅敦煌市莫高窟第158窟	
491	天王與天龍八部衆	唐	甘肅敦煌市莫高窟第158窟	
491	飛天	唐	甘肅敦煌市莫高窟第158窟	
492	聽法圖	唐	甘肅敦煌市莫高窟第158窟	
493	供養菩薩	唐	甘肅敦煌市莫高窟第158窟	
494	天請問經變畫	唐	甘肅敦煌市莫高窟第158窟	
495	普賢經變畫	唐	甘肅敦煌市莫高窟第159窟	
496	文殊經變畫	唐	甘肅敦煌市莫高窟第159窟	
497	舞樂	唐	甘肅敦煌市莫高窟第159窟	
497	供養菩薩	唐	甘肅敦煌市莫高窟第159窟	
498	樂隊	唐	甘肅敦煌市莫高窟第159窟	
499	吐蕃贊普	唐	甘肅敦煌市莫高窟第159窟	
500	維摩詰經變畫	唐	甘肅敦煌市莫高窟第159窟	
501	香積菩薩	唐	甘肅敦煌市莫高窟第159窟	
501	化生童子	唐	甘肅敦煌市莫高窟第159窟	
502	圖案	唐	甘肅敦煌市莫高窟第159窟	
503	菩薩	唐	甘肅敦煌市莫高窟第154窟	
503	善事太子入海求寶	唐	甘肅敦煌市莫高窟第154窟	
504	舞樂	唐	甘肅敦煌市莫高窟第154窟	
504	舞樂	唐	甘肅敦煌市莫高窟第154窟	
505	天王 瑞像	唐	甘肅敦煌市莫高窟第154窟	
506	庭院建築	唐	甘肅敦煌市莫高窟第237窟	
506	瑞像	唐	甘肅敦煌市莫高窟第237窟	
507	帝釋天	唐	甘肅敦煌市莫高窟第468窟	
508	十二大願	唐	甘肅敦煌市莫高窟第468窟	

頁碼	名稱	時代	出土發現地	收藏地
509	藥師佛説法圖	唐	甘肅敦煌市莫高窟第220窟	
510	千手千鉢文殊	唐	甘肅敦煌市莫高窟第361窟	
511	圖案	唐	甘肅敦煌市莫高窟第361窟	
512	藻井圖案	唐	甘肅敦煌市莫高窟第360窟	
512	藥師經變畫	唐	甘肅敦煌市莫高窟第360窟	
513	近事女	唐	甘肅敦煌市莫高窟第17窟	
514	比丘尼	唐	甘肅敦煌市莫高窟第17窟	
515	張議潮出行圖	唐	甘肅敦煌市莫高窟第156窟	
515	舞樂	唐	甘肅敦煌市莫高窟第156窟	
516	千手千眼觀音	唐	甘肅敦煌市莫高窟第161窟	
517	文殊經變畫	唐	甘肅敦煌市莫高窟第161窟	
517	報恩經變序品	唐	甘肅敦煌市莫高窟第85窟	
518	屠房	唐	甘肅敦煌市莫高窟第85窟	
518	思益梵天請問經變畫	唐	甘肅敦煌市莫高窟第85窟	
519	藻井圖案	唐	甘肅敦煌市莫高窟第85窟	
520	觀無量壽經變畫	唐	甘肅敦煌市莫高窟第12窟	
521	天王	唐	甘肅敦煌市莫高窟第12窟	
522	如意輪觀音	唐	甘肅敦煌市莫高窟第14窟	
523	藻井圖案	唐	甘肅敦煌市莫高窟第14窟	
524	觀世音菩薩	唐	甘肅敦煌市莫高窟第14窟	
524	外道	唐	甘肅敦煌市莫高窟第9窟	
525	史迹故事 瑞像	唐	甘肅敦煌市莫高窟第9窟	
526	白描人物	唐	甘肅敦煌市莫高窟第9窟	
527	文殊經變畫	唐	甘肅敦煌市莫高窟第9窟	
528	弟子	唐	甘肅敦煌市莫高窟第107窟	
529	佛光紋飾	唐	甘肅敦煌市莫高窟第196窟	
530	勞度叉鬥聖經變畫	唐	甘肅敦煌市莫高窟第196窟	
531	勞度叉鬥聖經變畫	唐	甘肅敦煌市莫高窟第196窟	
532	外道皈依	唐	甘肅敦煌市莫高窟第196窟	
533	風神	唐	甘肅敦煌市莫高窟第196窟	
534	普賢經變畫	唐	甘肅敦煌市莫高窟第196窟	
535	千佛	唐	甘肅敦煌市莫高窟第196窟	
536	大勢至菩薩	唐	甘肅敦煌市莫高窟第196窟	
537	供養比丘	唐	甘肅敦煌市莫高窟第345窟	

頁碼	名稱	時代	出土發現地	收藏地
538	報恩經變畫	唐	甘肅敦煌市莫高窟第138窟	
540	維摩詰經變畫	唐	甘肅敦煌市莫高窟第138窟	

[石窟寺壁畫]

甘肅敦煌莫高窟（公元三六六年至公元一三六八年）

飛天和千佛
北凉
位于甘肅敦煌市莫高窟第272窟北壁。
圖中飛天袒上身，披帔帛，下着長裙，露足。

菩薩
北凉
位于甘肅敦煌市莫高窟第272窟西壁龕内。
圖中菩薩袒上身，項飾瓔珞，肩披帔帛。

[石窟寺壁畫]

毗楞竭梨王本生畫
北涼

位于甘肅敦煌市莫高窟第275窟北壁中層。圖中一婆羅門以釘砸進坐于臺上之人，地下一人作悲泣狀。此圖表現毗楞竭梨王爲聽法而任勞度叉以釘釘其身本生故事。

[石窟寺壁畫]

菩薩
北凉

位于甘肅敦煌市莫高窟第275窟南壁。圖中菩薩立于闕門之中。

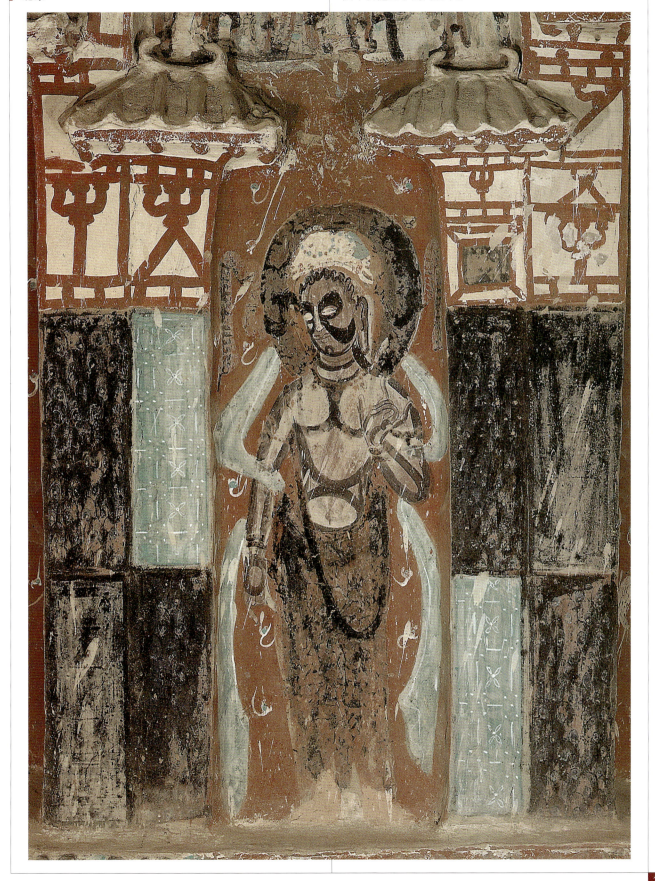

甘肅敦煌莫高窟（公元三六六年至公元一三六八年）

[石窟寺壁畫]

甘肅敦煌莫高窟（公元三六六年至公元一三六八年）

婆藪仙
北魏
位于甘肅敦煌市莫高窟第254窟中心柱龕內。
圖中婆藪仙右手握鳥，示其有殺生行爲。

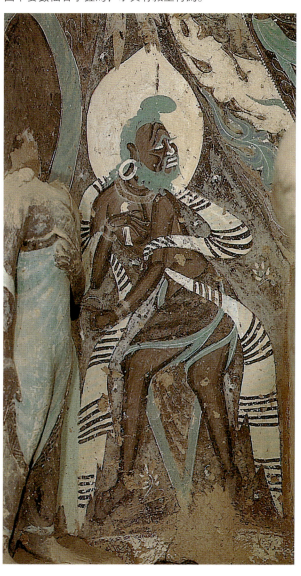

鹿頭梵志
北魏
位于甘肅敦煌市莫高窟第254窟中心柱東向龕內北側。
圖中鹿頭梵志爲婆羅門形象，手上舉持一骷髏。鹿頭梵志能據骷髏知前世，而佛給其羅漢骷髏竟不能識，遂皈依佛法。

[石窟寺壁畫]

藥叉
北魏
位于甘肅敦煌市莫高窟第254窟中心柱東向龕下塔座。
藥叉爲佛護法神之一。圖中二藥叉皆有頭光。

甘肅敦煌莫高窟（公元三六六年至公元一三六八年）

【石窟寺壁畫】

白衣佛
北魏
位于甘肅敦煌市莫高窟第254窟西壁中央。
圖中坐佛作説法狀，衣紋居中下垂，具有犍陀羅風格，白色表示菩提清净之心。兩側爲聽法菩薩。

甘肅敦煌莫高窟（公元三六六年至公元一三六八年）

【石窟寺壁畫】

說法像

北魏
位於甘肅敦煌市莫高窟第254窟北壁前部中層。

圖中釋迦佛袒右，有桃形頭光和多重背光，結跏趺坐于方座上，下有兩供養比丘。

甘肅敦煌莫高窟（公元三六六年至公元一三六八年）

[石窟寺壁畫]

聽法菩薩
北魏

位于甘肅敦煌市莫高窟第254窟北壁前部中層。圖中菩薩戴寶冠，有橢圓形頭光，游戲坐，作聽法狀。

甘肅敦煌莫高窟（公元三六六年至公元一三六八年）

尸毗王本生畫
北魏

位于甘肅敦煌市莫高窟第254窟北壁後部中層東端。圖中尸毗王坐于高臺上，右下一人在割其左腿之肉，右上方有一鷹逐鴿。圖中之人或贊嘆，或禮拜。此圖表現尸毗王割肉贖鴿本生故事。

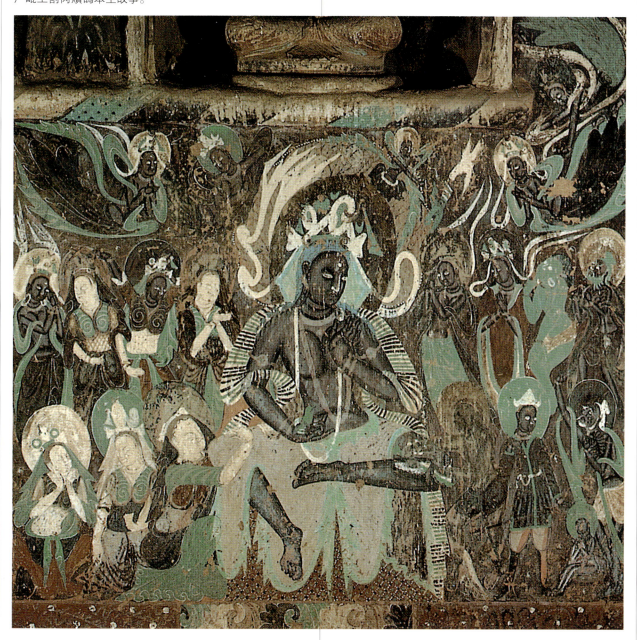

甘肅敦煌莫高窟（公元三六六年至公元一三六八年）

[石窟寺壁畫]

甘肅敦煌莫高窟（公元三六六年至公元一三六八年）

聽法菩薩
北魏
位于甘肅敦煌市莫高窟第254窟北壁前部中層。圖中菩薩橢圓形頭光，身繞帔帛。或作聽法狀，或作凝思狀。

[石窟寺壁畫]

甘肅敦煌莫高窟（公元三六六年至公元一三六八年）

[石窟寺壁畫]

甘肅敦煌莫高窟（公元三六六年至公元一三六八年）

降魔變（上圖）
北魏
位于甘肅敦煌市莫高窟第254窟南壁前部。
圖中釋迦牟尼結跏趺坐，左手執衣裾，右手作指地印，表現釋迦佛將天魔波旬等降服的情節。

三魔女
北魏
位于甘肅敦煌市莫高窟第254窟南壁下層。
爲"降魔變"右下側之局部。圖中三魔女均身繞帔帛，穿長裙，赤膊，梳高髻。

魔將
北魏
位于甘肅敦煌市莫高窟第254窟南壁。

爲"降魔變"左下側之局部。圖中兩魔將頭戴盔,面向左方,雙手攏于胸前,雙膝跪地,表示已被釋迦佛降服。

甘肅敦煌莫高窟(公元三六六年至公元一三六八年)

[石窟寺壁畫]

甘肅敦煌莫高窟（公元三六六年至公元一三六八年）

群魔
北魏
位于甘肅敦煌市莫高窟第254窟南壁。
爲"降魔變"左側之局部。圖中有象頭、羊頭和虎頭等群魔，其中有的魔怪以乳爲目、以臍爲口，形象猙獰。

【 石窟寺壁畫 】

甘肅敦煌莫高窟（公元三六六年至公元一三六八年）

[石窟寺壁畫]

甘肅敦煌莫高窟（公元三六六年至公元一三六八年）

薩埵太子本生畫
北魏
位于甘肅敦煌市莫高窟第254窟南壁後部中層東端。
畫面表現薩埵太子飼虎的故事。有三個太子見餓虎欲食虎子，薩埵刺頸投崖，以身飼虎。二兄將此事告知父母。父母趕至山中，抱尸痛哭，并起塔供養。

[石窟寺壁畫]

甘肅敦煌莫高窟（公元三六六年至公元一三六八年）

[石窟寺壁畫]

刺頸投崖

北魏

位于甘肅敦煌市莫高窟第254窟南壁後部中層東端。爲"薩埵太子本生畫"右上側之局部。表現薩埵太子捨身飼虎，刺頸投崖的場面。

甘肅敦煌莫高窟（公元三六六年至公元一三六八年）

[石窟寺壁畫]

甘肅敦煌莫高窟（公元三六六年至公元一三六八年）

捨身飼虎（上圖）
北魏
位于甘肅敦煌市莫高窟第254窟南壁。
爲"薩埵太子本生畫"右下側之局部。表現母虎和幼虎爭食太子。

抱尸痛哭
北魏
位于甘肅敦煌市莫高窟第254窟南壁。
爲"薩埵太子本生畫"中部之局部。表現薩埵太子父母抱薩埵太子尸體痛哭的場面。

269

[石窟寺壁畫]

甘肅敦煌莫高窟（公元三六六年至公元一三六八年）

沙彌守戒自殺因緣畫（上圖）
北魏
位于甘肅敦煌市莫高窟第257窟南壁後部中層。
畫面從左至右爲：沙彌出家剃度；沙彌入村乞食；一女欲婚配沙彌；沙彌守戒自殺；少女向其父傾訴經過；其父向國王報此事；火化沙彌爲其起塔。

鹿王本生與須摩提女因緣畫（中圖）
北魏
位于甘肅敦煌市莫高窟第257窟西壁中層。
畫面從左至右爲：九色鹿救溺水之人；溺人向國王密告九色鹿行踪；作嚮導引國王乘馬獵鹿；當溺人指向鹿時，突身生白瘡。右端兩幅表現須摩提女因緣故事情節：滿富國滿財長者宴請諸梵志；須摩提女卧床不起；須摩提女焚香請佛；使者乾荼拿鼎等炊具飛來。

[石窟寺壁畫]

甘肅敦煌莫高窟（公元三六六年至公元一三六八年）

須摩提女因緣畫（下圖）
北魏
位于甘肅敦煌市莫高窟第257窟北壁後部中層。
畫面表現佛與衆弟子滿富國赴會説法。從左至右爲：佛弟子般特騎青牛；羅雲騎孔雀；迦匹那騎金翅鳥；優毗迦葉騎龍；須菩提騎琉璃山；大迦游延騎白鵠；離越騎虎；阿那律騎獅；大迦葉騎馬；大目犍連騎象，依次到達；佛在衆弟子和金剛力士陪同下説法。

[石窟寺壁畫]

立佛

北魏
位于甘肅敦煌市莫高窟第257窟南壁後部中央。

圖中佛站于一闕形建築內，闕上有一舍利塔，佛身光爲火焰紋，四周遍布千佛。

甘肅敦煌莫高窟（公元三六六年至公元一三六八年）

[石窟寺壁畫]

說法圖
北魏
位於甘肅敦煌市莫高窟第251窟北壁前部。

圖中佛結跏趺坐，作說法狀，背光外圈有火焰紋；兩側各有一脅侍菩薩和四個天人；座下方繪金剛力士。

甘肅敦煌莫高窟（公元三六六年至公元一三六八年）

[石窟寺壁畫]

甘肅敦煌莫高窟（公元三六六年至公元一三六八年）

窟頂平棋
北魏
位于甘肅敦煌市莫高窟第251窟中心柱東北角。
窟頂平棋中心方井飾蓮花和水渦紋，四角配以四蓮花或四飛天。

千佛及供養比丘
北魏
位于甘肅敦煌市莫高窟第263窟東壁北側。
圖中上一排爲千佛，皆作禪定狀，或着通肩袈裟，或内着僧祇支，外着雙領下垂袈裟。下一排爲供養比丘。

[石窟寺壁畫]

甘肅敦煌莫高窟（公元三六六年至公元一三六八年）

飛天
北魏
位于甘肅敦煌市莫高窟第260窟北壁。
圖中飛天有頭光，袒上身，披巾飛揚，作飛翔散花狀。

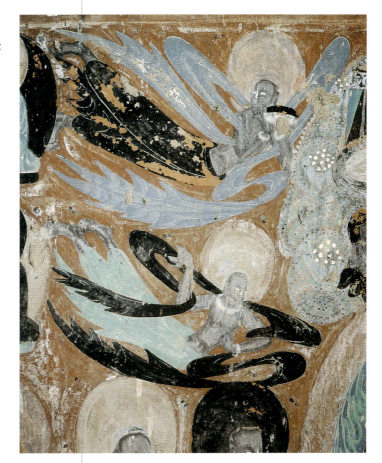

供養天人
北魏
位于甘肅敦煌市莫高窟第260窟北壁前部。
圖中天人皆袒上身，上方天人托盤，戴臂鐲。

275

[石窟寺壁畫]

白衣佛
北魏

位于甘肅敦煌市莫高窟第435窟西壁。圖中佛雙目微閉，身着通肩白色袈裟。

[石窟寺壁畫]

甘肅敦煌莫高窟（公元三六六年至公元一三六八年）

說法圖
北魏
位于甘肅敦煌市莫高窟第435窟北壁前部。
圖中佛像清秀修長，有由五瓣忍冬組成的火焰形身光。
說法圖上面繪天宮伎樂。

菩薩
北魏
位于甘肅敦煌市莫高窟第435窟南壁前部。
圖中菩薩戴寶冠，右手拈花草，繞帔巾，作聽法狀。

[石窟寺壁畫]

甘肅敦煌莫高窟（公元三六六年至公元一三六八年）

飛天（上圖）
北魏
位于甘肅敦煌市莫高窟第435窟窟頂。
圖中飛天共十身，每格一身，飛天身下繪蓮花。

天宮伎樂
北魏
位于甘肅敦煌市莫高窟第435窟北壁上部。
圖中左側天人位于圓拱門下，手彈琵琶；中間天人位于漢式建築下，雙手捧吹海螺；右側天人雙手拍擊腰鼓。

[石窟寺壁畫]

平棋圖案
北魏
位于甘肅敦煌市莫高窟第435窟窟頂。

圖中大平棋外層四角飾飛天，中層飾忍冬花葉紋，中心方井飾水池蓮花，水池內繪水禽。

甘肅敦煌莫高窟（公元三六六年至公元一三六八年）

[石窟寺壁畫]

窟頂壁畫
北魏

位于甘肅敦煌市莫高窟第431窟前部人字披頂。
人字披頂塑出椽子，分割畫面。畫面均上方爲蓮花和摩尼寶珠，下方爲天人胡跪手持蓮花。

石窟寺壁畫

供養菩薩
北魏

位于甘肅敦煌市莫高窟第248窟前部人字披頂。圖中菩薩皆袒上身，裝飾簡單，桃形頭光，手執花枝向前行走。

甘肅敦煌莫高窟（公元三六六年至公元一三六八年）

[石窟寺壁畫]

甘肅敦煌莫高窟（公元三六六年至公元一三六八年）

鹿頭梵志及供養菩薩
西魏
位于甘肅敦煌市莫高窟第249窟西壁龕內北側。
圖中梵志手托骷髏，身體瘦削。

飛天
西魏
位于甘肅敦煌市莫高窟第249窟西壁龕頂北側。
圖中兩飛天畫于佛背光火焰紋外側，均作飛翔狀，一吹簫，一手拍腰鼓。

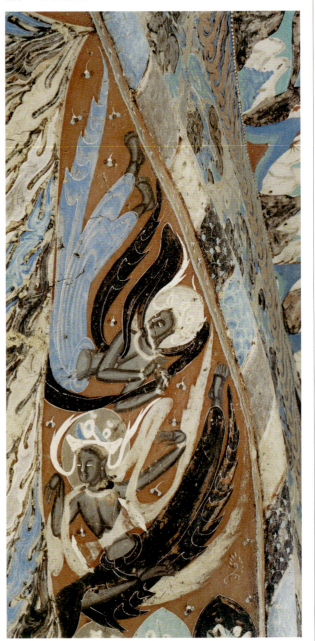

[石窟寺壁畫]

説法圖
西魏
位于甘肅敦煌市莫高窟第249窟北壁中央。圖中佛作説法狀,頭光、身光皆爲桃形;華蓋上中間有獸頭,兩側爲飛鳳。佛身兩側脅侍菩薩皆立于蓮花上,上方飛天均作飛翔狀,着長袖大袍者爲漢地風格,袒上身者爲西域風格。

甘肅敦煌莫高窟(公元三六六年至公元一三六八年)

[石窟寺壁畫]

阿修羅天

西魏
位于甘肅敦煌市莫高窟第249窟窟頂西披。

圖中間爲阿修羅天，四目四臂，手擎日月，足立海中。周圍繪雷神、雨神和電神等神祇。

[石窟寺壁畫]

甘肅敦煌莫高窟（公元三六六年至公元一三六八年）

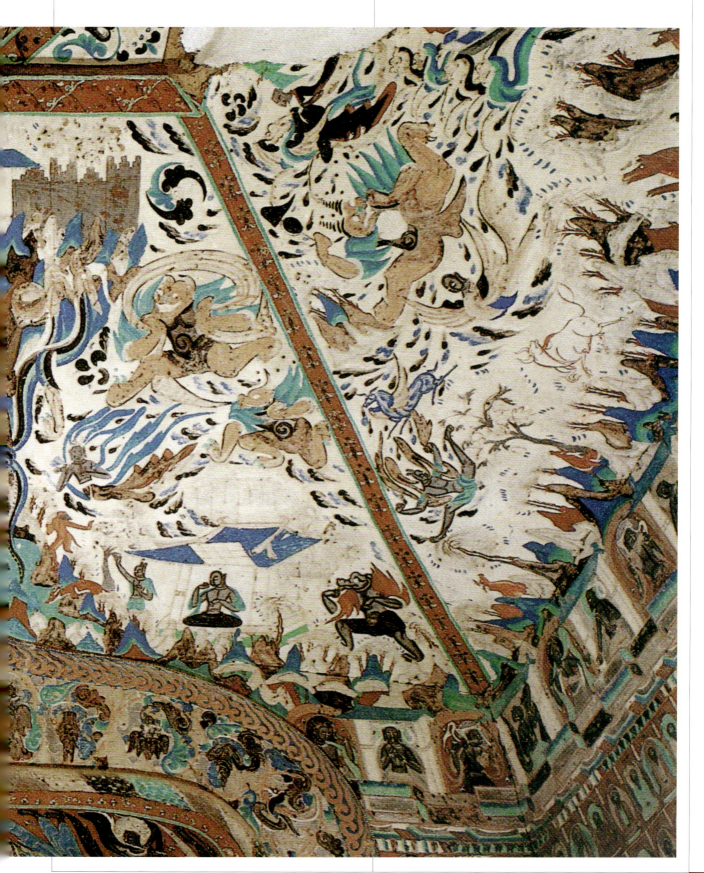

【 石窟寺壁畫 】

甘肅敦煌莫高窟（公元三六六年至公元一三六八年）

雷神
西魏
位于甘肅敦煌市莫高窟第249窟窟頂西披。
圖中雷神擊鼓作雷聲。

野猪
西魏
位于甘肅敦煌市莫高窟第249窟窟頂北披。
圖中繪一野猪帶六隻小野猪覓食。

[石窟寺壁畫]

甘肅敦煌莫高窟（公元三六六年至公元一三六八年）

野牛
西魏
位于甘肅敦煌市莫高窟第249窟窟頂北披。
圖中繪一野牛奔跑回首，上方為人首鳥身的風神禺强。

捧珠力士
西魏
位于甘肅敦煌市莫高窟第249窟窟頂東披。
圖中力士臂生翼，托摩尼珠。兩側有飛天、朱雀等。下有胡人百戲、玄武和開明神獸等。

287

[石窟寺壁畫]

西王母出行
西魏
位于甘肅敦煌市莫高窟第249窟窟頂南披。

畫面中部繪西王母乘鳳車出行，方士和飛天前後隨行，下部繪活動于山林間的野牛、黃羊等動物。

【石窟寺壁畫】

甘肅敦煌莫高窟（公元三六六年至公元一三六八年）

[石窟寺壁畫]

西王母
西魏
位于甘肅敦煌市莫高窟第249窟窟頂南披。

爲"西王母出行"中下部之局部。圖中西王母身着大袖襦，駕三鳳車出游。車上旌旗飄揚，四周有侍從、白虎和文鰩等護衛隨行。

【 石窟寺壁畫 】

狩獵
西魏
位于甘肅敦煌市莫高窟第249窟窟頂北披。
圖中右側一人手執長槍，正騎馬追逐一群羚羊；左側一人騎馬回身張弓射一猛虎。

甘肅敦煌莫高窟（公元三六六年至公元一三六八年）

[石窟寺壁畫]

甘肅敦煌莫高窟（公元三六六年至公元一三六八年）

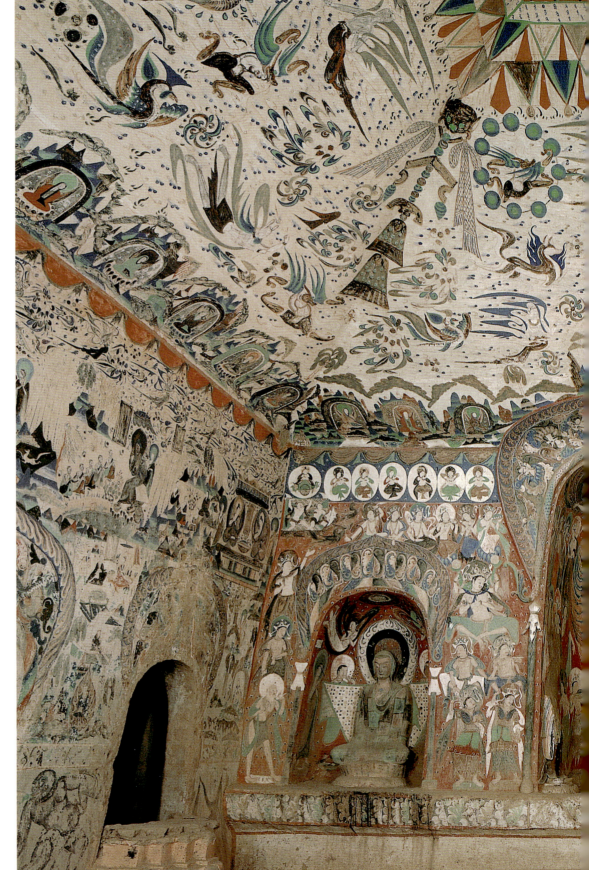

莫高窟第285窟西壁壁畫

西魏

位于甘肅敦煌市莫高窟第285窟。西壁開三龕，中間龕内主尊善跏坐。龕兩側繪三層供養菩薩，龕楣繪蓮花化生童子。窟頂西披繪天空諸神，有雷神、飛廉和乘鸞仙女等。

[石窟寺壁畫]

甘肅敦煌莫高窟（公元三六六年至公元一三六八年）

[石窟寺壁畫]

甘肅敦煌莫高窟（公元三六六年至公元一三六八年）

化生童子
西魏
位于甘肅敦煌市莫高窟第285窟西壁。龕楣上繪多身化生童子，童子下身隱于蓮花內，或合十供養，或演奏樂器。圖下部爲龕內飛天。

[石窟寺壁畫]

甘肅敦煌莫高窟（公元三六六年至公元一三六八年）

[石窟寺壁畫]

供養菩薩
西魏
位于甘肅敦煌市莫高窟第285窟西壁正龕內南側壁。

圖中菩薩冠式各异，裝束簡單，或披巾，或着通肩袈裟，或斜披袈裟；手勢、表情也各不一樣。

菩薩
西魏

位于甘肅敦煌市莫高窟第285窟西壁北龕上。圖中菩薩身繞帔帛，左手上舉，右手捻花。

甘肅敦煌莫高窟（公元三六六年至公元一三六八年）

[石窟寺壁畫]

甘肅敦煌莫高窟（公元三六六年至公元一三六八年）

諸天 外道
西魏
位于甘肅敦煌市莫高窟第285窟西壁北龕上。
畫面上排右側一駕車之人爲日天，其左端束髮、長鬚、袒上身之婆羅門形象者爲皈依佛法的外道；日天下方爲力士駕三虎神車；龕楣兩側爲諸天神王。

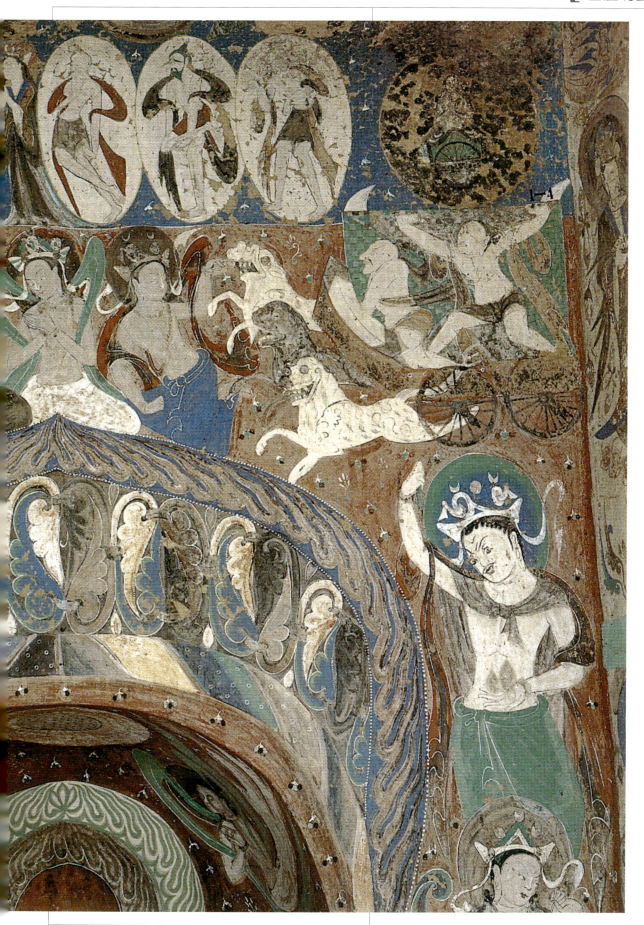

[石窟寺壁畫]

甘肅敦煌莫高窟（公元三六六年至公元一三六八年）

[石窟寺壁畫]

諸天神王
西魏
位于甘肅敦煌市莫高窟第285窟西壁正龕南側。
圖中上方爲那羅延天，三頭八臂，手持日、月、輪、貝等法器；下方二着甲衣者爲天王，手持戟、矛；中間爲二供養天人。

婆藪仙
西魏
位于甘肅敦煌市莫高窟第285窟西壁南龕南側。
圖中婆藪仙左手執一鳥，表示婆藪仙有殺生之罪。

[石窟寺壁畫]

供養比丘
西魏
位于甘肅敦煌市莫高窟第285窟西壁南龕内側。

圖中二比丘皆有橢圓形頭光。手執花枝者着偏衫袈裟，穿黑履；另一比丘左手作散花狀。

甘肅敦煌莫高窟（公元三六六年至公元一三六八年）

[石窟寺壁畫]

甘肅敦煌莫高窟（公元三六六年至公元一三六八年）

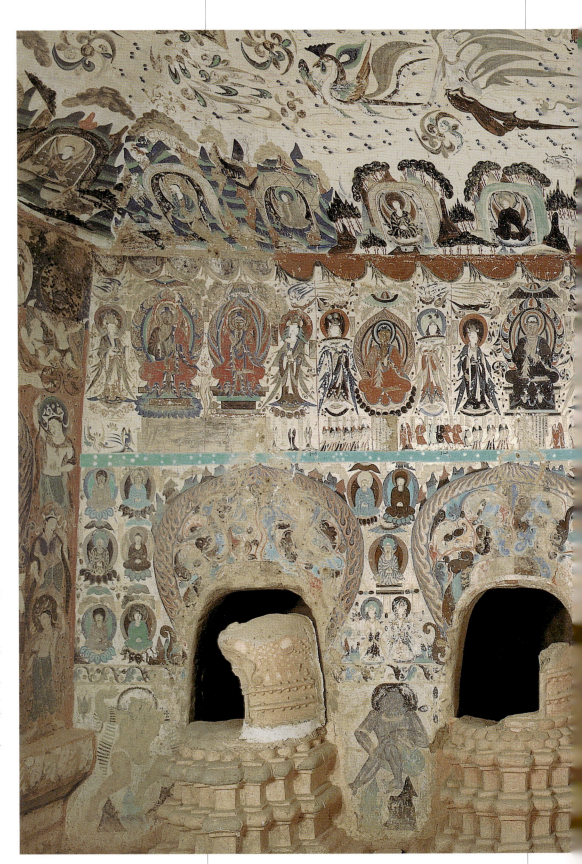

莫高窟第285窟北壁壁畫

西魏

位于甘肅敦煌市莫高窟第285窟。龕楣上爲七佛説法圖，大多爲一佛二菩薩形式，唯西端一鋪爲二佛并坐。佛下爲供養人和發願文。

【 石窟寺壁畫 】

甘肅敦煌莫高窟（公元三六六年至公元一三六八年）

[石窟寺壁畫]

甘肅敦煌莫高窟（公元三六六年至公元一三六八年）

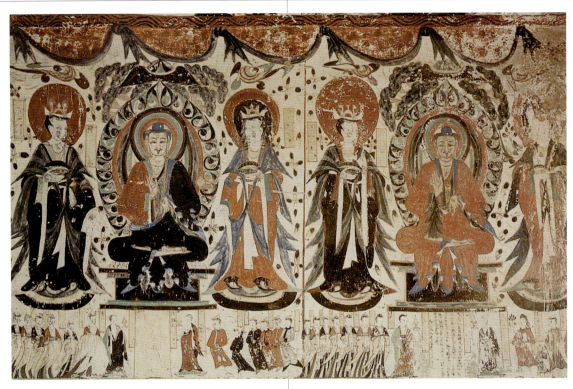

七佛局部（上圖）
西魏
位于甘肅敦煌市莫高窟第285窟北壁。
圖中上部爲兩組一佛二菩薩組合，下部繪供養行列。

二佛并坐像
西魏
位于甘肅敦煌市莫高窟第285窟北壁上層。
圖中二佛爲釋迦佛和多寶佛，皆内着僧祇支，外穿袈裟，衣角外揚，結跏趺坐，手作説法印。兩側爲脅侍菩薩，褒衣博帶，其上方爲聽法天人，右下角爲供養人。

[石窟寺壁畫]

甘肅敦煌莫高窟（公元三六六年至公元一三六八年）

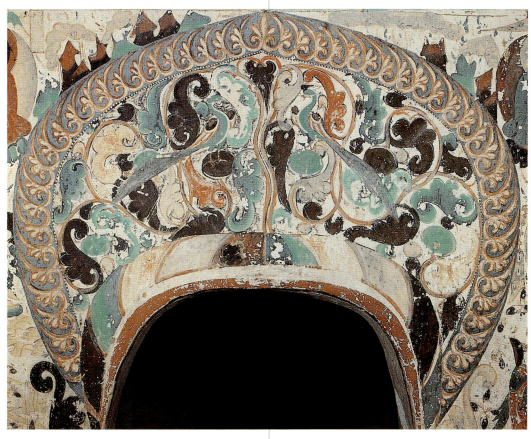

孔雀龕楣（上圖）
西魏
位于甘肅敦煌市莫高窟第285窟北壁東起第二龕。龕楣正中一條忍冬莖向兩邊迴捲分枝，忍冬花葉間一對孔雀相向而立。

菩薩
西魏
位于甘肅敦煌市莫高窟第285窟北壁東側下層。圖中兩菩薩一手捧盤供養，一右手持蓮蕾。

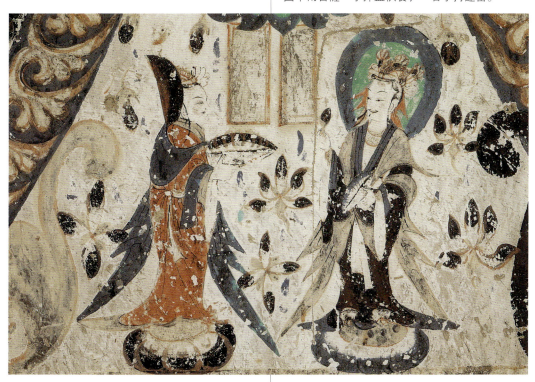

[石窟寺壁畫]

莫高窟第285窟南壁壁畫
西魏
位于甘肅敦煌市莫高窟第285窟。

壁畫上沿畫飛天十二身，其下爲五百强盗成佛因緣故事畫，西端爲釋迦、多寶二佛并坐説法圖。下有四禪室，龕楣均以花鳥、火焰紋爲裝飾。

[石窟寺壁畫]

甘肅敦煌莫高窟（公元三六六年至公元一三六八年）

[石窟寺壁畫]

五百強盜成佛因緣畫
西魏

位于甘肅敦煌市莫高窟第285窟南壁上層。
此故事講述五百強盜受刑被挖眼後遇佛，佛醫好其眼睛并給其説法，五百強盜最終皈依佛法。圖中以五人着世俗裝者代表五百強盜，畫面表現五百強盜與着甲胄、騎戰馬的官兵作戰而被俘及被審訊和受挖眼之刑的場面。

甘肅敦煌莫高窟（公元三六六年至公元一三六八年）

[石窟寺壁畫]

甘肅敦煌莫高窟（公元三六六年至公元一三六八年）

[石窟寺壁畫]

飛天
西魏
位于甘肅敦煌市莫高窟第285窟南壁。
圖中二飛天一彈箜篌，一持阮咸。

甘肅敦煌莫高窟（公元三六六年至公元一三六八年）

[石窟寺壁畫]

甘肅敦煌莫高窟（公元三六六年至公元一三六八年）

[石窟寺壁畫]

甘肅敦煌莫高窟（公元三六六年至公元一三六八年）

莫高窟第285窟東壁壁畫
西魏
位于甘肅敦煌市莫高窟第285窟。

圖中爲左右對稱格局。中間門上有三世佛一鋪，南北各畫大型説法圖，佛作説法印，左右脅侍菩薩四身，上有弟子四身。

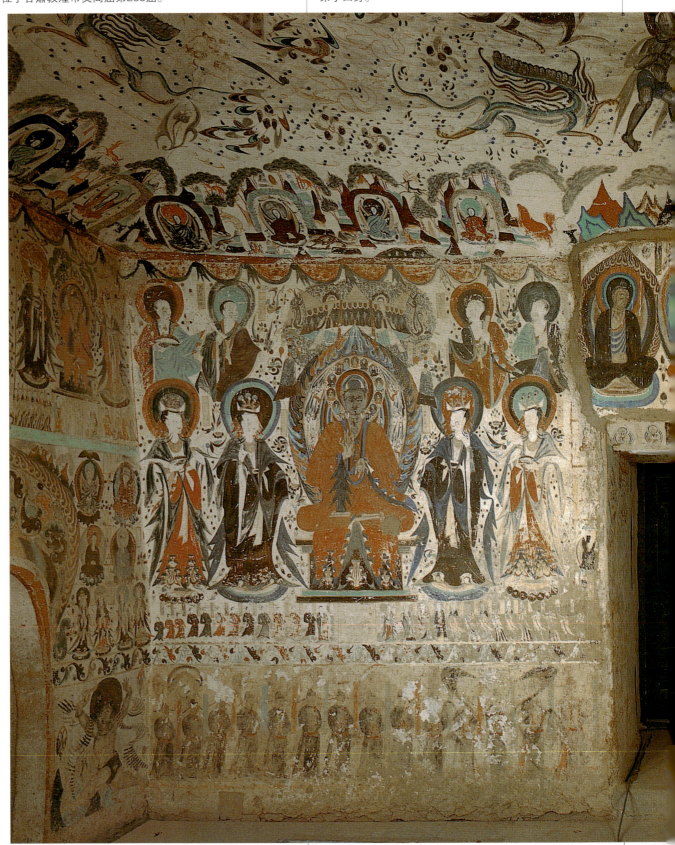

【石窟寺壁畫】

甘肅敦煌莫高窟（公元三六六年至公元一三六八年）

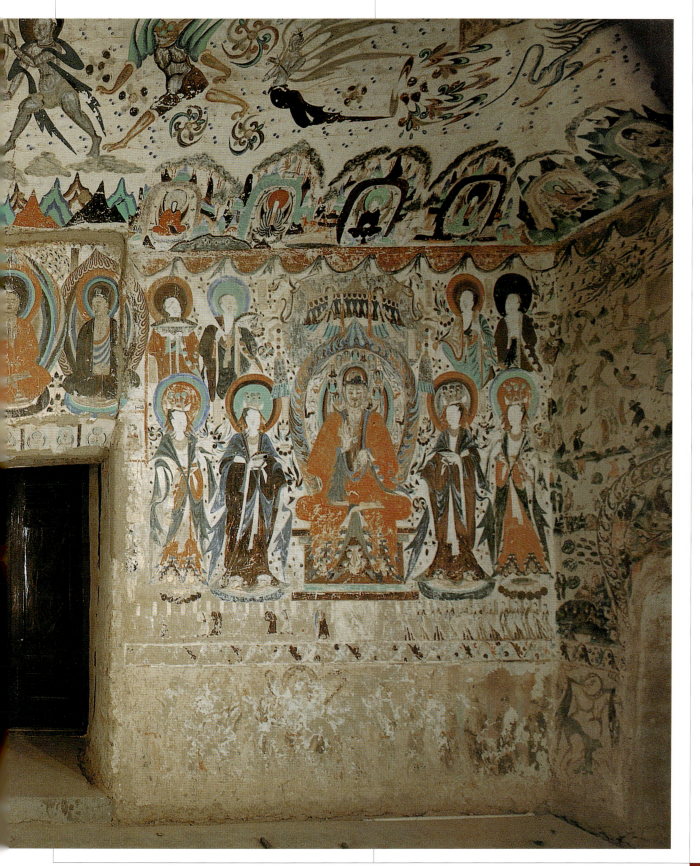

[石窟寺壁畫]

莫高窟第285窟窟頂東披壁畫
西魏

位于甘肅敦煌市莫高窟第285窟。
畫面中間爲二力士舉摩尼寶珠和蓮花。寶珠兩側繪伏羲、女媧，二者皆人面蛇身，手持規和矩，胸前戴日、月。

[石窟寺壁畫]

甘肅敦煌莫高窟（公元三六六年至公元一三六八年）

[石窟寺壁畫]

甘肅敦煌莫高窟（公元三六六年至公元一三六八年）

天鵝
西魏
位于甘肅敦煌市莫高窟第285窟窟頂東披。圖中天鵝爲白描，作飛翔狀，旁邊有流雲飛動作襯托。

禪修
西魏
位于甘肅敦煌市莫高窟第285窟東壁南側。圖中以圓券形拱門表示禪窟，内有禪僧結跏趺坐于蓮座上。

[石窟寺壁畫]

甘肅敦煌莫高窟（公元三六六年至公元一三六八年）

莫高窟第285窟窟頂北披壁畫
西魏
位于甘肅敦煌市莫高窟第285窟。
畫面上部遍間鮮花兩側相對二飛天，其下有禺强神鳥、雨師、礔毗電、飛廉等神异。

[石窟寺壁畫]

甘肅敦煌莫高窟（公元三六六年至公元一三六八年）

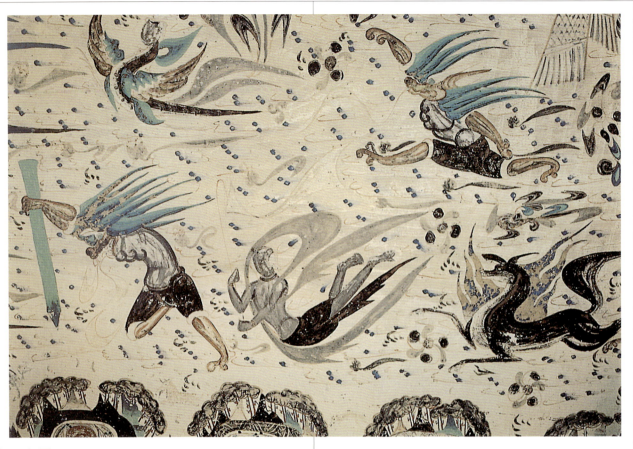

天象圖
西魏
位于甘肅敦煌市莫高窟第285窟窟頂北披。
圖中人面鳥身者爲禺强，吐雲噴霧者爲雨師，雙手持鐵鑽者爲霹電，頭似鹿，肩生雙翼者爲風神飛廉，另有持幡之飛天，均作奔跑飛翔狀，表現雷電風雨交加之景。

禪修
西魏
位于甘肅敦煌市莫高窟第285窟北壁。
圖中禪僧凝神閉目，着對襟大袍，結跏趺坐于胡床之上。

莫高窟第285窟窟頂南披壁畫
西魏
位于甘肅敦煌市莫高窟第285窟。
畫面上部中間爲蓮花，内有摩尼寶珠，兩側有二飛天相對扶持，其下爲飛廉、羽人、朱雀、飛天、烏獲與開明獸等。

[石窟寺壁畫]

藻井圖案
西魏
位于甘肅敦煌市莫高窟第285窟窟頂。

藻井爲華蓋式，中心爲水渦紋，上繪覆蓮，中層四角火焰紋，外層爲蓮花，邊飾忍冬紋。藻井四面飾雙層垂幔。

[石窟寺壁畫]

莫高窟第288窟窟室壁畫
西魏
位于甘肅敦煌市莫高窟第288窟。
圖中脊枋爲一長條形的平頂，上飾水池蓮花，人字披下爲天宮伎樂天。天宮伎樂下爲大型説法圖，側壁繪千佛。

甘肅敦煌莫高窟（公元三六六年至公元一三六八年）

[石窟寺壁畫]

甘肅敦煌莫高窟（公元三六六年至公元一三六八年）

藥叉（上圖）
西魏
位于甘肅敦煌市莫高窟第288窟中心柱西向龕座下。
圖中藥叉有頭光，髮式奇特，僅穿一牛犢褲。

平棋圖案
西魏
位于甘肅敦煌市莫高窟第288窟窟頂。
圖中心繪蓮花，蓮花四周爲水池，外層四角繪飛天。

[石窟寺壁畫]

天宮伎樂

西魏

位于甘肅敦煌市莫高窟第288窟西壁。

圖中伎樂均處于穹隆頂式建築的天宮之中。上圖爲舞者，下圖爲樂者。

甘肅敦煌莫高窟（公元三六六年至公元一三六八年）

[石窟寺壁畫]

佛及供養菩薩、比丘
北周

位于甘肅敦煌市莫高窟第461窟西壁南側。圖右側爲釋迦、多寶二佛并坐局部，龕楣表現睒子本生；左側上方爲佛十大弟子中的五位，手持各種供養物；下方爲二菩薩，站于蓮花之上，一戴花冠，一戴寶冠，手持盤、寶珠作供養狀。

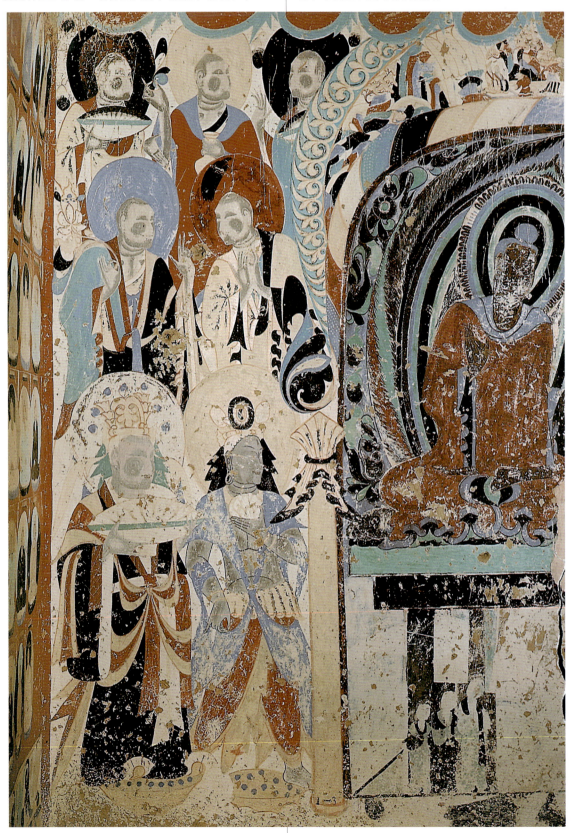

[石窟寺壁畫]

盧舍那佛
北周
位于甘肅敦煌市莫高窟第428窟南壁中層。

圖中盧舍那佛作站立説法狀，兩側爲其眷屬。袈裟上表現"六趣輪迴之説"，上部爲天界，有佛、阿修羅和飛天等；中部表現人界之四大部洲；下部表現無間地獄。

甘肅敦煌莫高窟（公元三六六年至公元一三六八年）

〖石窟寺壁畫〗

甘肅敦煌莫高窟（公元三六六年至公元一三六八年）

降魔變
北周
位于甘肅敦煌市莫高窟第428窟北壁中層。
圖中佛結跏趺坐，內着僧祇支，外披袈裟，右手作降魔印。左右上方兩側的魔怪或持弓箭，或抓蛇，或作各種恐嚇狀。下方爲菩薩、供養人及婆羅門形象。

【 石窟寺壁畫 】

甘肅敦煌莫高窟（公元三六六年至公元一三六八年）

[石窟寺壁畫]

甘肅敦煌莫高窟（公元三六六年至公元一三六八年）

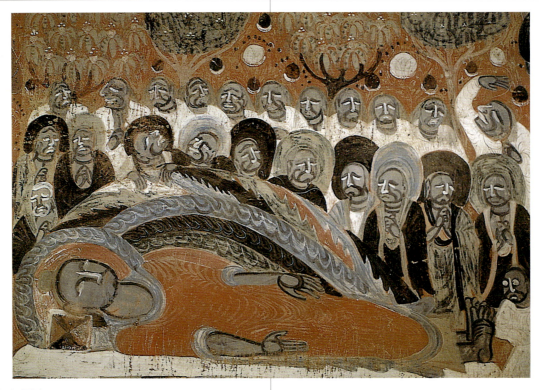

涅槃（上圖）
北周
位于甘肅敦煌市莫高窟第428窟西壁。
圖中釋迦牟尼右脅而卧，衆弟子于身後悲泣。

須達拏太子本生畫
北周
位于甘肅敦煌市莫高窟第428窟東壁北側。
畫面分三欄：上欄表現婆羅門詐傷，太子慷慨施與國之寶象；中欄爲婆羅門騎象回敵國及大臣向國王報告此事；下欄表現太子入山結廬修煉。

石窟寺壁畫

金剛寶座塔
北周
位于甘肅敦煌市莫高窟第428窟西壁中層。
圖中以一大塔爲中心，四周繞四小塔。大塔塔身分三層，下層畫四個承塔力士，中層畫釋迦牟尼誕生，上層爲釋迦牟尼成道。塔身屋檐上畫人面鳥身者爲金翅鳥。大塔有相輪十一重，兩側懸幡。塔兩側有天人散花和四大天王。

甘肅敦煌莫高窟（公元三六六年至公元一三六八年）

[石窟寺壁畫]

甘肅敦煌莫高窟（公元三六六年至公元一三六八年）

薩埵太子本生畫（上圖）
北周
位于甘肅敦煌市莫高窟第428窟東壁南側。
畫面分上下二欄：上欄表現薩埵太子從山崖上跳下及餓虎噬咬太子，下欄表現薩埵太子二兄騎馬回宮報訊及人們起塔紀念薩埵太子。

供養人
北周
位于甘肅敦煌市莫高窟第428窟中心柱北向龕壇沿。
圖中供養人爲中原漢族婦女形象，長裙拖地，雙手籠于寬袖之內，頭頂束圓髻戴鬟。

平棋圖案

北周

位于甘肅敦煌市莫高窟第428窟窟頂。
圖中平棋中心繪水池蓮花，四角飾四身飛天。

[石窟寺壁畫]

甘肅敦煌莫高窟（公元三六六年至公元一三六八年）

飛天（上圖）
北周
位于甘肅敦煌市莫高窟第428窟窟頂。
兩飛天或雙手上揚，或合十禮拜。

圖案
北周
位于甘肅敦煌市莫高窟第428窟窟頂。
每欄中飾忍冬和蓮花，花間穿插飛天、神鹿等。

[石窟寺壁畫]

蓮花飛天紋藻井圖案

北周

位于甘肅敦煌市莫高窟第296窟窟頂。
藻井中心繪蓮花，四周繪忍冬、火焰，四岔角繪飛天。
外層繪忍冬、禽鳥、寶珠和寶瓶等。

甘肅敦煌莫高窟（公元三六六年至公元一三六八年）

[石窟寺壁畫]

甘肅敦煌莫高窟（公元三六六年至公元一三六八年）

善事太子入海品（上圖）
北周
位於甘肅敦煌市莫高窟第296窟窟頂南披東段。
圖中畫善事太子騎馬出遊，見屠戶宰牛、農夫耕田、獵戶彎弓、漁夫張網等，因起布施之心。

【 石窟寺壁畫 】

甘肅敦煌莫高窟（公元三六六年至公元一三六八年）

說法圖與飛天
北周
位于甘肅敦煌市莫高窟第290窟窟頂。
圖中央爲釋迦牟尼鹿野苑説法，兩側飛天共八身。

[石窟寺壁畫]

甘肅敦煌莫高窟（公元三六六年至公元一三六八年）

佛傳畫（上圖）
北周
位于甘肅敦煌市莫高窟第290窟窟頂。
畫面分三層，繪樹下誕生、九龍灌頂和夜半逾城等佛傳故事。

胡人馴馬圖
北周
位于甘肅敦煌市莫高窟第290窟中心柱西向龕壇沿。
圖中胡人深目高鼻，穿窄袖胡服，一手持繮，一手執鞭；馬披鞍，作踢蹬狀。

[石窟寺壁畫]

甘肅敦煌莫高窟（公元三六六年至公元一三六八年）

睒子本生畫
北周

位于甘肅敦煌市莫高窟第299窟窟頂北披。
圖上欄爲千佛，下欄爲飛天。中欄表現睒子本生故事，從左至右畫面爲：國王及侍從入山狩獵；睒子身穿鹿袍在河邊打水被國王誤射；睒子臨死前祇要求照顧其盲父母，天神被感動而現身。

[石窟寺壁畫]

甘肅敦煌莫高窟（公元三六六年至公元一三六八年）

睒子本生畫（上圖）
北周
位于甘肅敦煌市莫高窟第301窟窟頂北披。
圖中表現睒子對盲父母的孝行。

供養人和牛車
北周
位于甘肅敦煌市莫高窟第301窟東壁。
圖中牛車馭者爲深目高鼻胡人形象。

[石窟寺壁畫]

釋迦說法圖

隋

位于甘肅敦煌市莫高窟第302窟北壁後部。

圖中佛內着僧祇支，外披袈裟，半跏趺坐于須彌座上，作說法狀，上有華蓋。兩側爲脅侍菩薩，兩邊爲寶樹。

甘肅敦煌莫高窟（公元三六六年至公元一三六八年）

[石窟寺壁畫]

甘肅敦煌莫高窟（公元三六六年至公元一三六八年）

本生畫
隋
位于甘肅敦煌市莫高窟第302窟窟頂。畫面共表現八種本生故事，有快目王施眼，月光王施頭，尸毗王割肉貿鴿等。

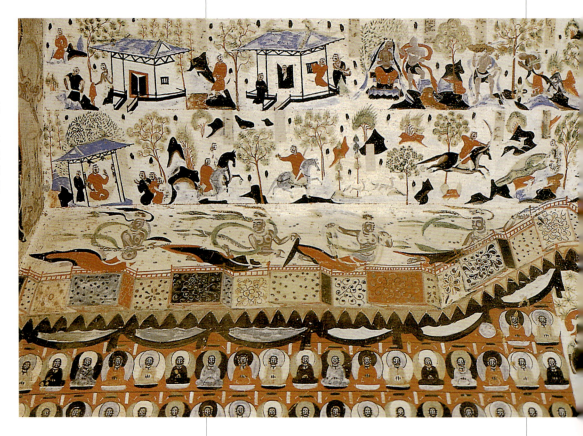

本生故事及福田經變畫
隋
位于甘肅敦煌市莫高窟第302窟人字頂披西披。
圖分上下二部分。上部分爲薩埵太子本生故事；下部分爲福田經變畫，畫面表現興建僧房佛殿、種樹、治病、修橋、造井等修施內容。

[石窟寺壁畫]

甘肅敦煌莫高窟（公元三六六年至公元一三六八年）

[石窟寺壁畫]

説法圖
隋
位于甘肅敦煌市莫高窟第302窟南壁前部。

圖中左側爲藥師佛，赤足而立，左手持鉢置于胸前。佛左側爲聽法菩薩，戴項圈、臂釧、耳環，身繞披巾；其上方有一飛天，形象生動飄逸。

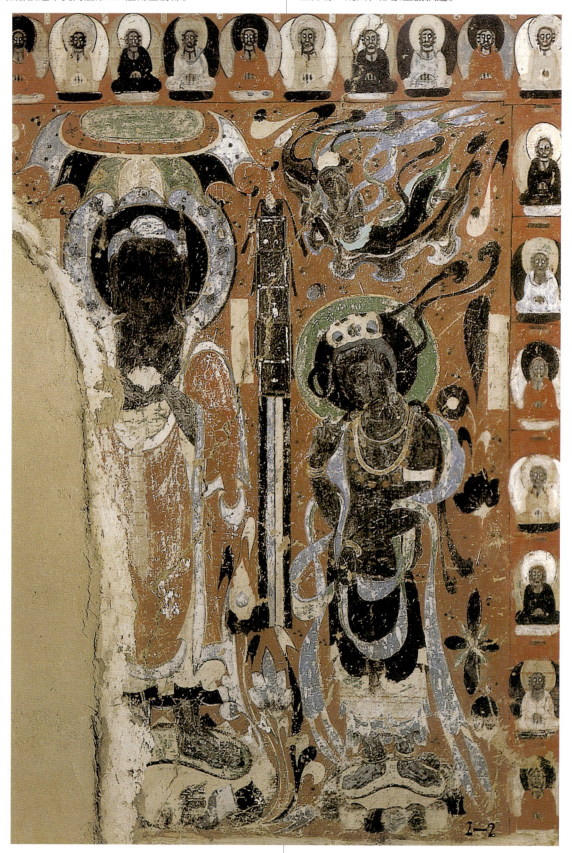

二佛并坐圖及供養人

隋

位于甘肅敦煌市莫高窟第303窟北壁前部。

圖中釋迦牟尼和多寶二佛并坐于龕内雙獅座上。龕内外各有二菩薩侍立。龕楣上有飛天二身，作散花供養狀。圖下部爲供養人行列。

甘肅敦煌莫高窟（公元三六六年至公元一三六八年）

[石窟寺壁畫]

甘肅敦煌莫高窟（公元三六六年至公元一三六八年）

法華經變普門品
隋
位于甘肅敦煌市莫高窟第303窟人字披頂東披。畫面上欄右端表現無盡意菩薩聽佛講法；左端表現觀世音保佑眾生的神力：入火不燒、入水得漂淺處、羅剎鬼不能傷害和生男女可如願。下段表現觀世音菩薩現身度化眾生：現佛身、聲聞身、梵王身和帝釋身等。

法華經變普門品
隋
位于甘肅敦煌市莫高窟第303窟人字披頂西披。畫面右側繪觀世音菩薩以三十三現身度化眾生，中部和左側繪無盡意菩薩等施珍寶和瓔珞供養觀世音，觀世音將瓔珞分爲兩份，分奉釋迦牟尼和多寶佛，二佛坐於多寶塔内。

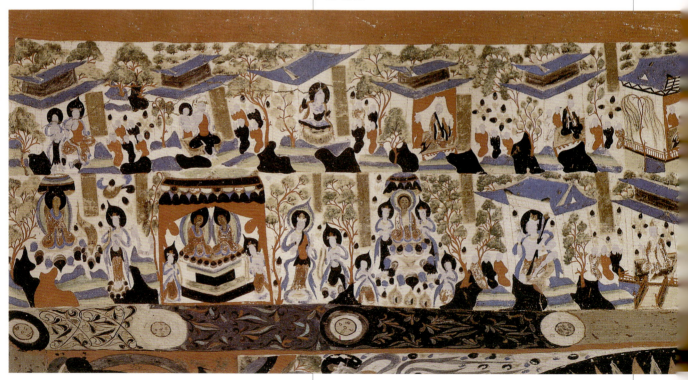

[石窟寺壁畫]

甘肅敦煌莫高窟（公元三六六年至公元一三六八年）

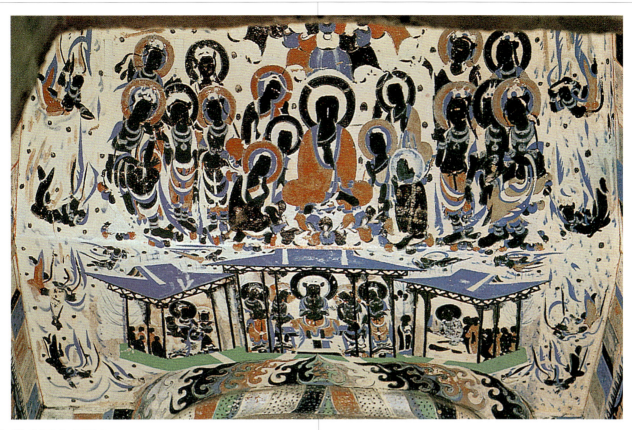

說法圖（上圖）
隋
位于甘肅敦煌市莫高窟第433窟窟頂。
圖中坐佛居中，弟子和菩薩衆人聽法。

345

[石窟寺壁畫]

甘肅敦煌莫高窟（公元三六六年至公元一三六八年）

莫高窟第305窟窟頂壁畫

隋

位于甘肅敦煌市莫高窟第305窟窟頂。
覆斗頂中央繪斗四藻井，井心爲蓮花，抹角繪飛天。藻井爲華蓋式，垂幔及四角流蘇鋪于四披。窟頂外周，東、西披繪摩尼供寶；南、北披分別表現帝釋天和帝釋天妃。

[石窟寺壁畫]

甘肅敦煌莫高窟（公元三六六年至公元一三六八年）

[石窟寺壁畫]

甘肅敦煌莫高窟（公元三六六年至公元一三六八年）

帝釋天（上圖）
隋
位于甘肅敦煌市莫高窟第305窟窟頂北披。
圖中帝釋天所駕之車爲龍車，車上旌旗飄揚，兩側流雲飛動。

帝釋天妃
隋
位于甘肅敦煌市莫高窟第305窟窟頂南披。
圖中帝釋天妃踞于車上，前方爲羽人駕鳳車，前面有飛天作前導，兩側有鯨鯢、文鰩。

[石窟寺壁畫]

甘肅敦煌莫高窟（公元三六六年至公元一三六八年）

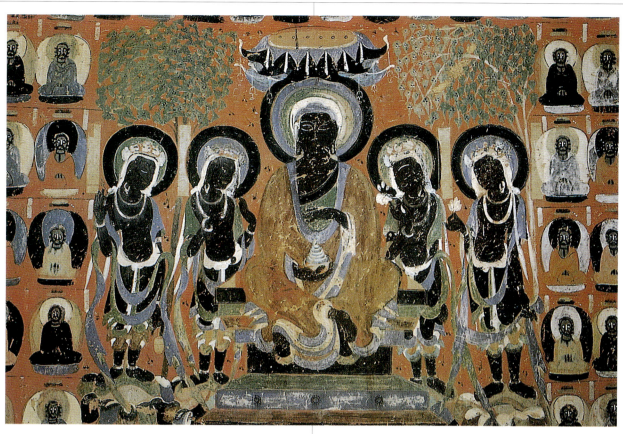

説法圖（上圖）
隋
位于甘肅敦煌市莫高窟第305窟西壁。
圖中佛右手托鉢，鉢中有龍頭伸出。

供養人
隋
位于甘肅敦煌市莫高窟第305窟北壁。
圖中爲一列女供養人，隊前比丘尼爲前導。

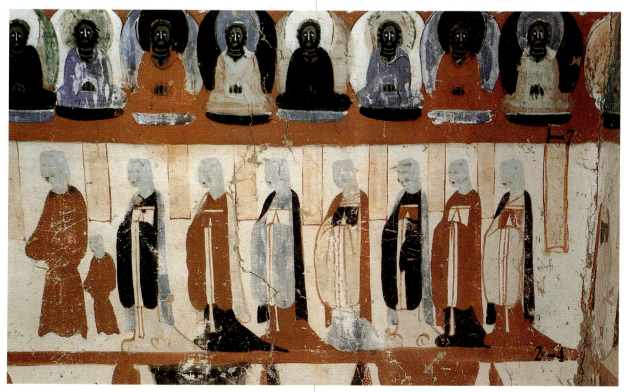

[石窟寺壁畫]

甘肅敦煌莫高窟（公元三六六年至公元一三六八年）

彌勒上生經變畫
隋

位于甘肅敦煌市莫高窟第423窟窟頂。圖中上部繪彌勒坐于殿中説法，兩旁各兩身菩薩脅侍。大殿兩側有重樓，樓閣中有樂舞。下部中間繪維摩詰和文殊菩薩在室中論道，兩側爲帝釋天和帝釋天妃率諸天前來赴會。

[石窟寺壁畫]

供養菩薩
隋
位于甘肅敦煌市莫高窟第295窟西壁。圖中菩薩戴冠，手持花枝。

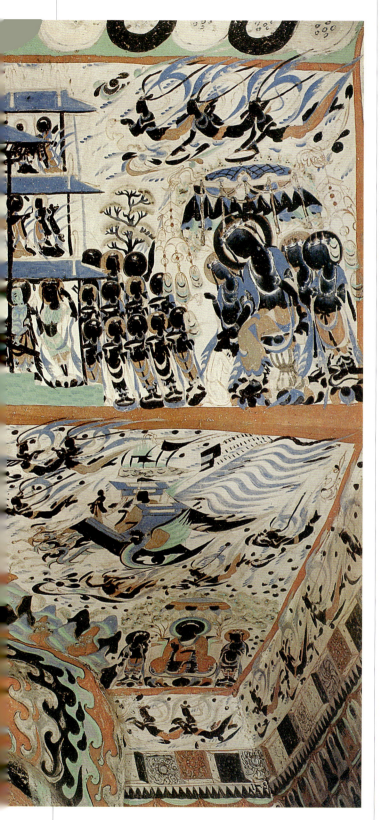

甘肅敦煌莫高窟（公元三六六年至公元一三六八年）

[石窟寺壁畫]

甘肅敦煌莫高窟（公元三六六年至公元一三六八年）

涅槃

隋

位于甘肅敦煌市莫高窟第295窟人字披頂西披。
圖中表現釋迦牟尼涅槃時的情景。釋迦牟尼右卧，右手枕于頭下。衆弟子作悲哀狀，跪于床後雙手撫摸佛足的爲迦葉，其身後有一婆羅門形象者立于蓮花上，爲須跋陀羅，他是佛最後一個弟子。

【石窟寺壁畫】

甘肅敦煌莫高窟（公元三六六年至公元一三六八年）

[石窟寺壁畫]

藻井圖案
隋
位于甘肅敦煌市莫高窟第311窟窟頂。

圖中央繪大蓮花，周圍繞以蓮荷，四角各繪一身蓮花童子。

甘肅敦煌莫高窟（公元三六六年至公元一三六八年）

[石窟寺壁畫]

甘肅敦煌莫高窟（公元三六六年至公元一三六八年）

雙獅
隋
位于甘肅敦煌市莫高窟第292窟人字披頂西披龕下。
圖中雙獅頭大軀小，戴項圈，口銜忍冬草，其中間爲一水池，上面有蓮花、摩尼寶珠等物。下欄爲禪定千佛，袈裟顏色交錯各异。

供養菩薩
隋
位于甘肅敦煌市莫高窟第420窟西壁龕内。
圖中菩薩雙手捧蓮花供養。

355

[石窟寺壁畫]

維摩詰經變問疾品文殊像
隋
位于甘肅敦煌市莫高窟第420窟西壁南側上部。

圖中文殊菩薩倚坐于須彌座上，作說法論道狀。文殊兩側爲聽法天人、菩薩，跪于廊下的爲衆弟子，跪于臺階前禮拜的爲三信士。殿前還有水池，上有水草和禽鳥。

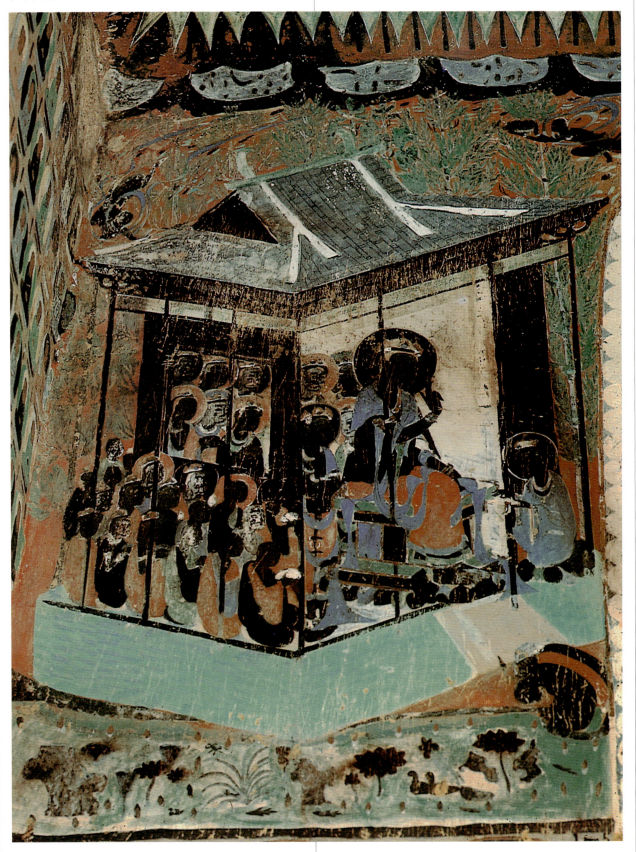

維摩詰經變問疾品文殊像

[石窟寺壁畫]

維摩詰經變問疾品維摩詰像
隋
位于甘肅敦煌市莫高窟第420窟西壁北側上部。

圖中維摩詰居士褒衣博帶，右手執麈尾，坐于几前，和文殊像相對。維摩詰兩側和殿前爲信徒和聽衆。

甘肅敦煌莫高窟（公元三六六年至公元一三六八年）

[石窟寺壁畫]

菩薩
隋

位于甘肅敦煌市莫高窟第420窟西壁北側。圖中菩薩皆戴金寶冠、金項圈、臂釧。左側菩薩着通肩袈裟，束裙，右手持蓮花寶珠，左手持念珠；中間菩薩袒上身，披瓔珞，右手提净瓶，左手托蓮花寶珠；右側菩薩右手拈金花，左手持蓮枝。

【石窟寺壁畫】

藻井圖案
隋
位于甘肅敦煌市莫高窟第420窟窟頂。
藻井中央繪蓮花，花心飾三兔紋樣。

甘肅敦煌莫高窟（公元三六六年至公元一三六八年）

[石窟寺壁畫]

甘肅敦煌莫高窟（公元三六六年至公元一三六八年）

法華經變畫
隋
位于甘肅敦煌市莫高窟第420窟窟頂北披。畫面主要表現法華經變的序品，下部畫靈鷲山，上部中間繪釋迦涅槃。

法華經變畫
隋
位于甘肅敦煌市莫高窟第420窟窟頂南披。畫面表現法華經變的譬喻品，左、右部繪殿堂樓閣林立的宅院。

【石窟寺壁畫】

甘肅敦煌莫高窟（公元三六六年至公元一三六八年）

[石窟寺壁畫]

甘肅敦煌莫高窟（公元三六六年至公元一三六八年）

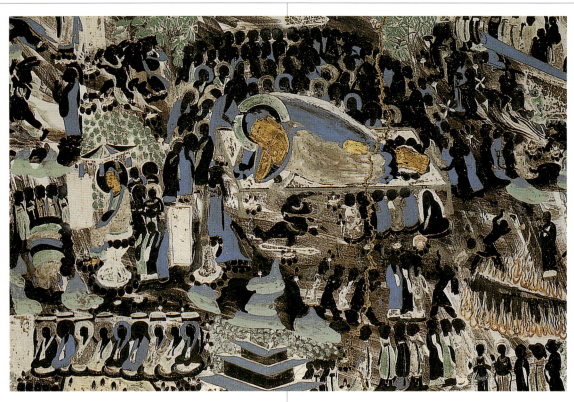

涅槃（上圖）
隋
位于甘肅敦煌市莫高窟第420窟窟頂北披中部。
爲"法華經變畫"之局部。釋迦牟尼右脅而卧，衆天人、眷屬、菩薩、弟子及善男信女圍聚身邊，哀傷哭泣。

觀音救難
隋
位于甘肅敦煌市莫高窟第420窟窟頂東披南側。
爲"法華經變畫"之局部。表現觀音菩薩救濟諸難的内容。

菩薩

隋
位于甘肅敦煌市莫高窟第402窟西壁龕内。

圖中菩薩肩搭披巾，雙手捧蓮花摩尼寶珠，頭後有一蓮花化生。

甘肅敦煌莫高窟（公元三六六年至公元一三六八年）

[石窟寺壁畫]

甘肅敦煌莫高窟（公元三六六年至公元一三六八年）

須達拏太子本生畫
隋
位于甘肅敦煌市莫高窟第419窟窟頂。
畫面分上下四段，上三段繪須達拏太子本生，最下段部分繪薩埵太子本生。

[石窟寺壁畫]

甘肅敦煌莫高窟（公元三六六年至公元一三六八年）

[石窟寺壁畫]

甘肅敦煌莫高窟（公元三六六年至公元一三六八年）

莫高窟第407窟窟頂壁畫
隋
位于甘肅敦煌市莫高窟第407窟窟頂藻井。
藻井中心爲八瓣大蓮花，内心繪三兔紋，外圍繪飛天散花及飛行比丘，在其外飾蓮花紋和三角垂幔紋，四周繪禪定千佛。

[石窟寺壁畫]

甘肅敦煌莫高窟（公元三六六年至公元一三六八年）

[石窟寺壁畫]

弟子
隋
位于甘肅敦煌市莫高窟第280窟西壁南側。

圖中弟子皆作比丘狀，有頭光，內着僧祇支，外披通肩袈裟，雙手合十。

甘肅敦煌莫高窟（公元三六六年至公元一三六八年）

【 石窟寺壁畫 】

甘肅敦煌莫高窟（公元三六六年至公元一三六八年）

乘象入胎（上圖）
隋
位于甘肅敦煌市莫高窟第280窟西壁。
圖中菩薩乘白象飛行，二力士托舉象足，伎樂天女奏樂隨行。

授經說法
隋
位于甘肅敦煌市莫高窟第280窟西壁。
畫面表現釋迦牟尼向弟子講經說法的場景。

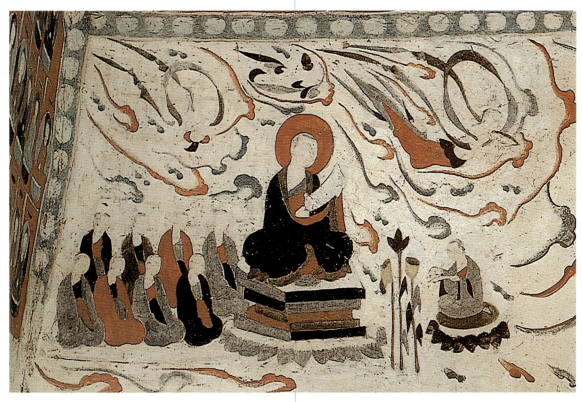

369

[石窟寺壁畫]

逾城出家
隋
位于甘肅敦煌市莫高窟第278窟西壁南側上部。

圖中繪一人褒衣博帶，騎于馬上，下有四力士捧馬足前行，後有一天人跟隨。此圖表現悉達多太子夜半逾城出家情景。

乘象入胎

隋

位于甘肅敦煌市莫高窟第278窟西壁北側上部。

圖中一菩薩袒上身，身繞帔帛，騎于一象上，象腿踏四朵蓮花。其身後有二伎樂天，一彈箜篌，一彈琵琶；前方亦有二伎樂天爲前導。此圖表現乘象入胎故事。

甘肅敦煌莫高窟（公元三六六年至公元一三六八年）

[石窟寺壁畫]

甘肅敦煌莫高窟（公元三六六年至公元一三六八年）

菩薩
隋

位于甘肅敦煌市莫高窟第278窟西壁南側。
圖中菩薩雙重頭光，戴寶冠、項圈、瓔珞，左手提淨瓶，右手托蓮花，四周畫忍冬等植物。

菩薩
隋

位于甘肅敦煌市莫高窟第278窟西壁。
圖中菩薩左手于胸前持淨瓶，瓶中插柳枝，右手下垂握披巾。

弟子
隋

位于甘肃敦煌市莫高窟第278窟西壁。
图中年长弟子托香炉,年轻弟子手持莲花。

甘肅敦煌莫高窟（公元三六六年至公元一三六八年）

[石窟寺壁畫]

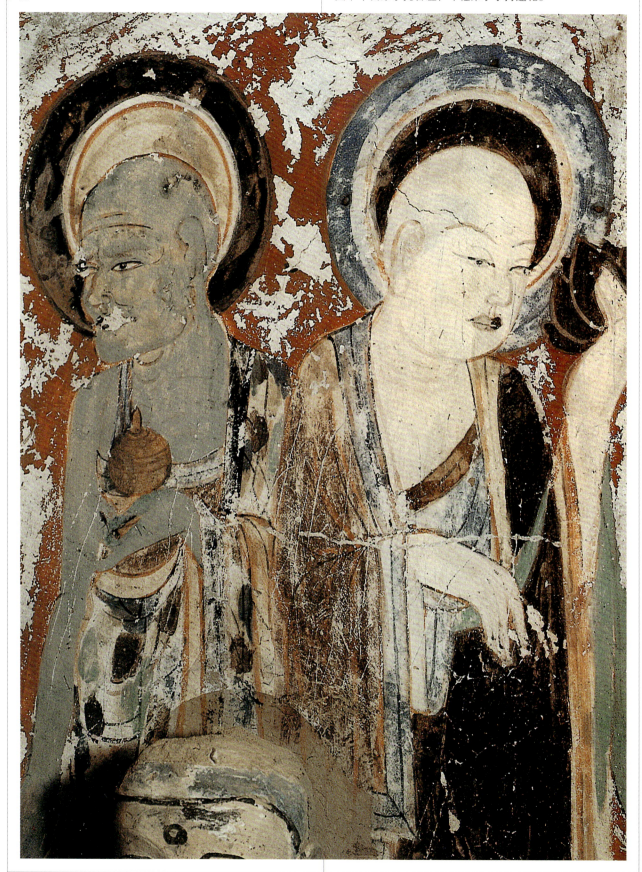

[石窟寺壁畫]

甘肅敦煌莫高窟（公元三六六年至公元一三六八年）

文殊菩薩
隋
位于甘肅敦煌市莫高窟第276窟西壁南側。
圖中文殊菩薩立于樹下，頭戴寶冠，多重頭光，身繞帔帛，束裙，作説法辯論狀。四周以山石花木爲背景。

[石窟寺壁畫]

觀世音菩薩和迦葉

隋

位于甘肅敦煌市莫高窟第276窟南壁。圖爲阿彌陀佛説法圖一部分。右側爲觀世音菩薩,寶冠中有化佛,右手持柳枝,左手提净瓶,身繞帔帛;左側爲迦葉,爲比丘形象,内着僧祇支,外披袈裟,左手托鉢,右手拈蓮枝。

甘肅敦煌莫高窟（公元三六六年至公元一三六八年）

[石窟寺壁畫]

甘肅敦煌莫高窟（公元三六六年至公元一三六八年）

持拂塵天女
隋
位于甘肅敦煌市莫高窟第62窟西壁龕頂北側。圖中天女雙手執拂塵，肩披間色披肩，上有蓮花、忍冬等圖案；其上方有兩飛天，一奏樂，一散花。

[石窟寺壁畫]

甘肅敦煌莫高窟（公元三六六年至公元一三六八年）

供養人及牛車（上圖）
隋
位于甘肅敦煌市莫高窟第62窟東壁北側下部。
圖中供養人爲女性，着高胸拖地長裙，肩上披巾，雙手持花供養；右側畫一牛車和一車夫。

彌勒菩薩説法圖
隋
位于甘肅敦煌市莫高窟第313窟南壁。
圖以白色爲地，以赭紅色爲繪畫主調。菩薩安詳端莊。

[石窟寺壁畫]

甘肅敦煌莫高窟（公元三六六年至公元一三六八年）

飛天（上圖）
隋
位于甘肅敦煌市莫高窟第313窟北壁。
圖中兩飛天帔帛飛揚，一奏琵琶，一作散花狀，周圍飾以流暢的雲氣及忍冬、蓮花等紋飾。

藻井圖案
隋
位于甘肅敦煌市莫高窟第401窟窟頂。
藻井中央繪八瓣蓮花，周圍飛天、翼馬、鳳鳥環繞。

[石窟寺壁畫]

甘肅敦煌莫高窟（公元三六六年至公元一三六八年）

説法圖
隋

位于甘肅敦煌市莫高窟第314窟東壁北側。

圖中佛坐于八角須彌座上，內着僧祇支，外披袈裟，手作説法印；背光爲火焰紋，上有華蓋，兩側爲寶樹及蓮花、忍冬等裝飾圖案。上方爲禪定千佛。

天王
隋

位于甘肅敦煌市莫高窟第313窟東壁。

圖中天王右手執戟，左手托蓮花火焰寶珠，身着武士裝。

379

[石窟寺壁畫]

甘肅敦煌莫高窟（公元三六六年至公元一三六八年）

文殊菩薩
隋

位于甘肅敦煌市莫高窟第314窟西壁北側。圖中文殊坐于殿內胡床上，旁立脅侍菩薩，階前及階下有衆人聽法。

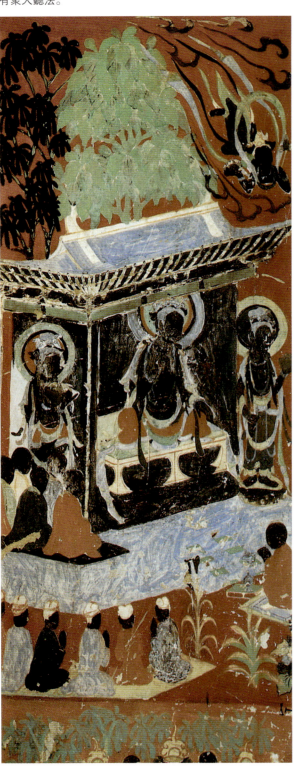

維摩詰
隋

位于甘肅敦煌市莫高窟第314窟西壁北側。圖中維摩詰右手揮麈尾，左手扶三足几，坐于胡床之上。其下畫樹下菩薩授記。

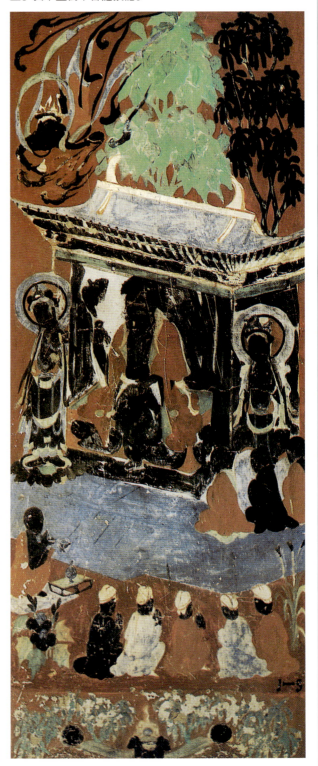

[石窟寺壁畫]

菩薩
隋

位于甘肅敦煌市莫高窟第394窟西壁北側。

圖中菩薩戴寶冠，身繞披巾，裝飾簡單，右手持火焰寶珠，左手提淨瓶，站于蓮座上。左側爲聯珠紋圈，圈內爲蓮蕾。

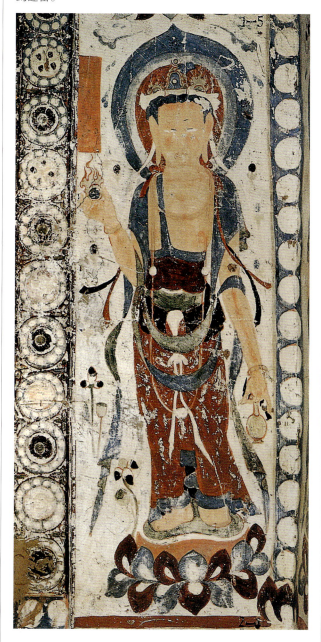

供養童子（右圖）
隋

位于甘肅敦煌市莫高窟第398窟西壁龕內南側。

圖中一童子有頭光，袒身，繞披巾，穿牛犢褲，手捧蓮花作供養狀；其上爲一伎樂童子，手彈琵琶，坐于蓮花上。

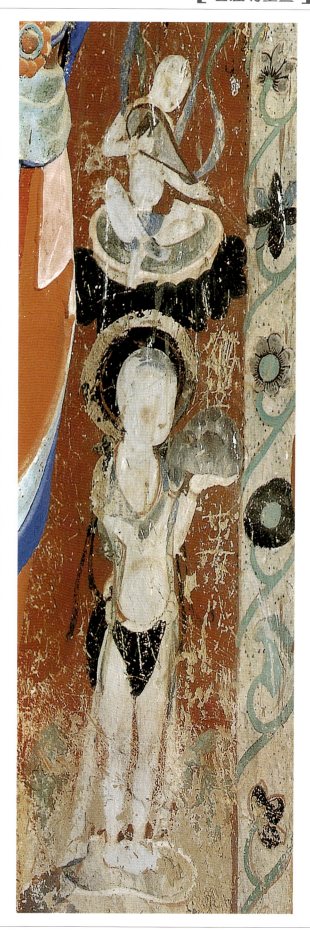

甘肅敦煌莫高窟（公元三六六年至公元一三六八年）

【 石窟寺壁畫 】

甘肅敦煌莫高窟（公元三六六年至公元一三六八年）

莫高窟第398窟龕頂壁畫
隋
位于甘肅敦煌市莫高窟第398窟西壁。
龕內火焰背光兩側畫飛天，外層龕頂繪蓮花化生和飛天，外層龕口繪火焰紋。龕楣繪火焰，楣尖火焰達于窟頂。

[石窟寺壁畫]

甘肅敦煌莫高窟（公元三六六年至公元一三六八年）

[石窟寺壁畫]

靈鷲山釋迦說法圖
隋
位于甘肅敦煌市莫高窟第394窟南壁。
圖中繪坐佛和二弟子四菩薩，上部繪菩提、華蓋。華蓋兩側繪伎樂飛天。

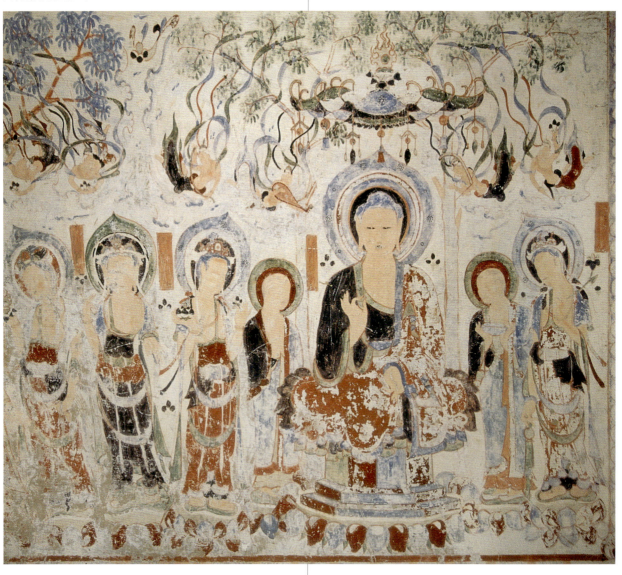

[石窟寺壁畫]

甘肅敦煌莫高窟（公元三六六年至公元一三六八年）

菩提和華蓋（上圖）
隋
位于甘肅敦煌市莫高窟第394窟北壁西側。
畫面中部畫菩提和華蓋，兩側畫四伎樂飛天。

藥叉
隋
位于甘肅敦煌市莫高窟第394窟東壁南側上部。
此圖爲藥師經變圖的局部。圖中藥叉均有頭光，袒上身，身繞帔帛，下着長裙，均胡跪，雙手捧寶珠作供養藥師佛狀。

385

[石窟寺壁畫]

乘象入胎
隋

位于甘肅敦煌市莫高窟第397窟西壁龕頂北側。圖中一菩薩袒上身，繞帔帛，坐于一奔馳之象上；前方有一飛天手持香爐前導，上方有奏樂、散花飛天；後方有二持旌幡菩薩迎送。此圖表現摩耶夫人夜夢菩薩乘六牙象入胎之事。

[石窟寺壁畫]

逾城出家
隋

位于甘肅敦煌市莫高窟第397窟西壁龕頂南側。圖中騎馬者爲悉達多太子，馬作飛騰狀，下有二天王捧馬足，前方有二飛天散花作前導，後方有二伎樂天，一彈琵琶，一彈箜篌迎送，周圍遍布雲氣紋。

甘肅敦煌莫高窟（公元三六六年至公元一三六八年）

[石窟寺壁畫]

藻井圖案
隋
位于甘肅敦煌市莫高窟第397窟窟頂。

藻井井心畫盤莖蓮花，中央畫八瓣重瓣大蓮花，花心畫三兔紋。垂角帷幔鋪于四披，帷幔下沿鑲邊。窟頂四披畫千佛，轉角處皆飾帶狀聯珠紋。

甘肅敦煌莫高窟（公元三六六年至公元一三六八年）

[石窟寺壁畫]

藻井圖案
隋
位于甘肅敦煌市莫高窟第392窟窟頂。

藻井井心中央畫重瓣十二瓣大蓮花，左右側各繪一龍。外圍畫飛天一周，僅存西披一部。

甘肅敦煌莫高窟（公元三六六年至公元一三六八年）

[石窟寺壁畫]

甘肅敦煌莫高窟（公元三六六年至公元一三六八年）

弟子（左圖）
隋

位于甘肅敦煌市莫高窟第244窟西壁南側下部。

圖中弟子爲老年比丘形象，多重頭光，內著僧祇支，外披袈裟，左手持鉢，右手揚起，作供養聽法狀。

供養菩薩
隋

位于甘肅敦煌市莫高窟第244窟西壁南側。

圖中菩薩戴寶冠，袒上身，繞帔帛胡跪于蓮座上，雙手托盤，上置蓮花火焰寶珠，作供養狀。

[石窟寺壁畫]

説法圖
隋
位于甘肅敦煌市莫高窟第244窟北壁。
圖中佛結跏趺坐于八角蓮座上，多重頭光，頭頂華蓋。旁侍立二弟子二菩薩。

甘肅敦煌莫高窟（公元三六六年至公元一三六八年）

[石窟寺壁畫]

藻井圖案
隋
位於甘肅敦煌市莫高窟第388窟窟頂。

藻井井心中央繪蓮花，四隅繪角花，外圈多層邊飾。藻井周圍繪八身飛天。

甘肅敦煌莫高窟（公元三六六年至公元一三六八年）

彌勒說法圖

隋
位于甘肅敦煌市莫高窟第390窟北壁中央。

圖中彌勒菩薩倚坐，多重頭光，外圍為火焰紋，頭戴寶冠，上有化佛形象，手作說法狀；兩側為脅侍菩薩，上方有散花天人。

【石窟寺壁畫】

甘肅敦煌莫高窟（公元三六六年至公元一三六八年）

飛天（上圖）
隋
位于甘肅敦煌市莫高窟第390窟南壁上部。
圖中兩飛天皆袒上身，帔帛飛揚，一吹簫，一拍腰鼓，周圍飾以流動雲氣。

龕頂壁畫
隋
位于甘肅敦煌市莫高窟第389窟西壁。
龕分內外兩層，略呈圓券形。內層飾菩提雙樹和飛天，外層畫火焰蓮花伎樂龕楣。

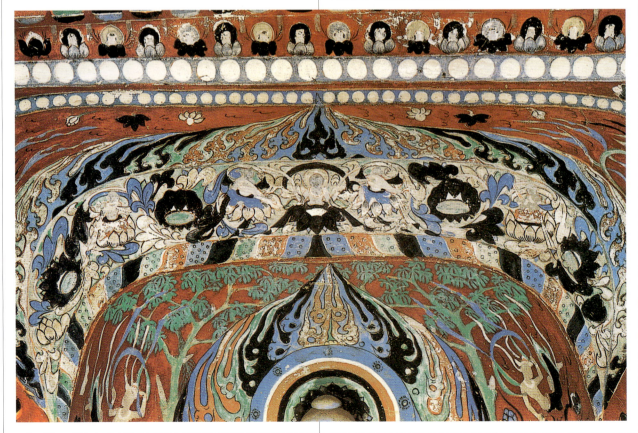

[石窟寺壁畫]

甘肅敦煌莫高窟（公元三六六年至公元一三六八年）

菩薩（左圖）
隋

位于甘肅敦煌市莫高窟第389窟西壁南側。

圖中菩薩皆戴寶冠，着僧祇支，身繞帔帛。上方菩薩右手提净瓶，左手持蓮枝；下方菩薩亦手持蓮枝。兩側及上方飾聯珠紋。

維摩詰經變問疾品文殊菩薩
隋

位于甘肅敦煌市莫高窟第380窟西壁南側。

圖中畫一漢式建築，歇山頂，斗栱、椽檐表現清楚。文殊菩薩坐于殿内作説法狀，兩側爲脅侍菩薩，殿前爲聽法菩薩，上方有散花天人。

[石窟寺壁畫]

甘肅敦煌莫高窟（公元三六六年至公元一三六八年）

天王
隋

位于甘肅敦煌市莫高窟第380窟東壁北側。
圖中天王戴三珠寶冠，身披戰甲，右手持矛，左手叉腰，腳踏一小鬼。

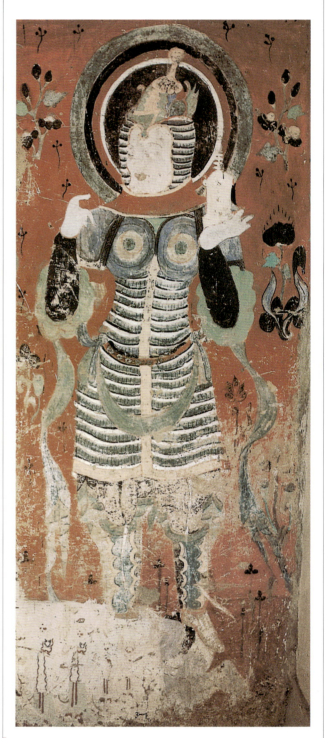

天王
隋

位于甘肅敦煌市莫高窟第380窟東壁南側。
圖中天王戴頭盔，身穿戰甲，左手托一覆鉢塔，足下踏一小鬼。

[石窟寺壁畫]

藻井圖案
隋
位于甘肅敦煌市莫高窟第380窟窟頂藻井。
藻井中心畫一披帛天人端坐于蓮花上，外飾雲氣紋。套疊方井抹角處畫蓮花或火焰寶珠。四披爲禪定千佛。

甘肅敦煌莫高窟（公元三六六年至公元一三六八年）

[石窟寺壁畫]

甘肅敦煌莫高窟（公元三六六年至公元一三六八年）

乘象入胎
唐
位于甘肅敦煌市莫高窟第375窟西壁。
圖中菩薩坐于六牙白象背上，象足踏蓮花，兩伎樂天奏樂隨行。

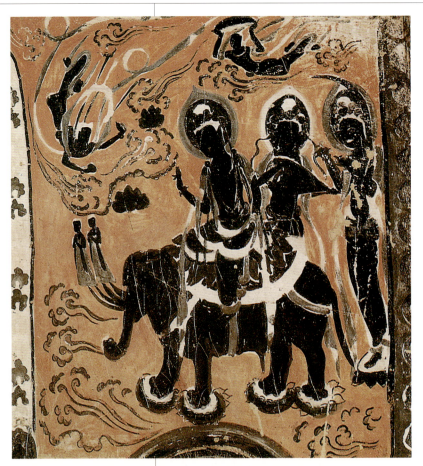

逾城出家
唐
位于甘肅敦煌市莫高窟第375窟西壁。
圖中悉達多太子乘于馬上，四飛天托舉馬足。

[石窟寺壁畫]

甘肅敦煌莫高窟（公元三六六年至公元一三六八年）

供養菩薩
唐
位于甘肅敦煌市莫高窟第401窟北壁東側。
圖中菩薩右手持盤，左手提披巾，身體呈"S"形，戴項圈、耳環。

[石窟寺壁畫]

甘肅敦煌莫高窟（公元三六六年至公元一三六八年）

并立菩薩
唐
位于甘肅敦煌市莫高窟第57窟西壁。圖中二菩薩身戴華麗飾物。

[石窟寺壁畫]

思惟菩薩
唐
位于甘肅敦煌市莫高窟第57窟西壁龕内南側。
圖中菩薩着僧祇支，身繞帔帛，半跏趺坐于蓮座上，左手支頤作思惟狀。

菩薩
唐
位于甘肅敦煌市莫高窟第57窟西壁龕内南側。
圖中菩薩戴三珠寶冠，右手托一朵蓮花，左手上舉一蓮枝。

甘肅敦煌莫高窟（公元三六六年至公元一三六八年）

[石窟寺壁畫]

甘肅敦煌莫高窟（公元三六六年至公元一三六八年）

菩薩
唐
位于甘肅敦煌市莫高窟第57窟北壁中央。
圖中菩薩戴寶冠、項圈、瓔珞，右手持一長莖蓮花。

菩薩
唐
位于甘肅敦煌市莫高窟第57窟北壁中央。
圖中菩薩戴寶冠、項圈、瓔珞，右手托一小寶瓶。

[石窟寺壁畫]

觀世音菩薩
唐
位于甘肅敦煌市莫高窟第57窟南壁中央。

圖中菩薩頭戴金冠，中有化佛形象，頸戴多重項圈，身披各種瓔珞，着僧祇支，上繪蓮花、聯珠等紋樣，裝飾華麗。

甘肅敦煌莫高窟（公元三六六年至公元一三六八年）

[石窟寺壁畫]

説法圖
唐
位于甘肅敦煌市莫高窟第322窟南壁中央。

圖中佛倚坐于須彌座上作説法狀，上有華蓋和寶樹；兩側爲聽法菩薩，或手持蓮花，或手捧玻璃碗，均袒上身，身繞帔帛，裝飾華麗；其上方爲飛天。

甘肅敦煌莫高窟（公元三六六年至公元一三六八年）

[石窟寺壁畫]

甘肅敦煌莫高窟（公元三六六年至公元一三六八年）

說法圖
唐
位于甘肅敦煌市莫高窟第322窟東壁。
圖中一佛二弟子二菩薩，均坐于蓮座之上。佛座兩側繪供養人。

供養菩薩
唐
位于甘肅敦煌市莫高窟第220窟西壁龕內。
圖中供養菩薩合十供養。

[石窟寺壁畫]

甘肅敦煌莫高窟（公元三六六年至公元一三六八年）

聽法菩薩
唐
位于甘肅敦煌市莫高窟第220窟西壁龕頂北側。

圖中爲聽法菩薩和供養菩薩，體態均豐滿，皆袒上身，戴項圈、臂釧，或交脚而坐，或半倚坐，形象生動；上方一欄爲波狀忍冬紋樣。

石窟寺壁畫

維摩詰居士
唐
位于甘肅敦煌市莫高窟第220窟東壁南側維摩詰經變中。

圖中維摩詰居士坐于帳內，身體前傾，手執塵尾，臉略帶病容。其前方爲與舍利弗答問的天女。

甘肅敦煌莫高窟（公元三六六年至公元一三六八年）

【石窟寺壁畫】

甘肅敦煌莫高窟（公元三六六年至公元一三六八年）

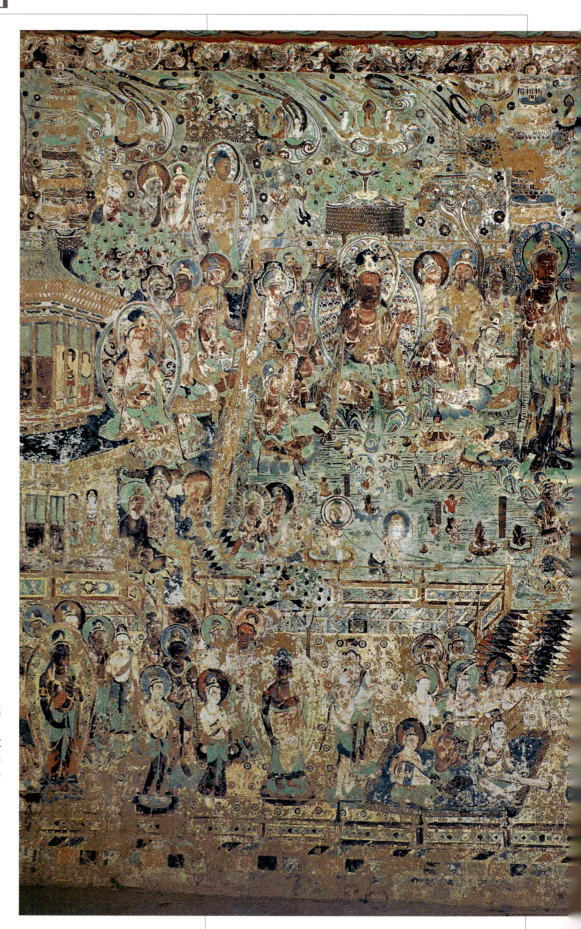

阿彌陀經變畫
唐
位于甘肅敦煌市莫高窟第220窟南壁。爲通壁巨幅阿彌陀經變。繪盛大歌舞場面，表現西方淨土世界。

[石窟寺壁畫]

甘肅敦煌莫高窟（公元三六六年至公元一三六八年）

[石窟寺壁畫]

阿彌陀佛
唐

位于甘肅敦煌市莫高窟第220窟南壁。爲"阿彌陀經變畫"中部之局部。圖中阿彌陀佛半跏趺坐于蓮座上，着偏衫，手作説法印；上有花樹華蓋和天宫；兩側爲脅侍菩薩，戴寶冠，手提净瓶，身着輕薄羅衣；佛座前有兩蓮花化生童子。

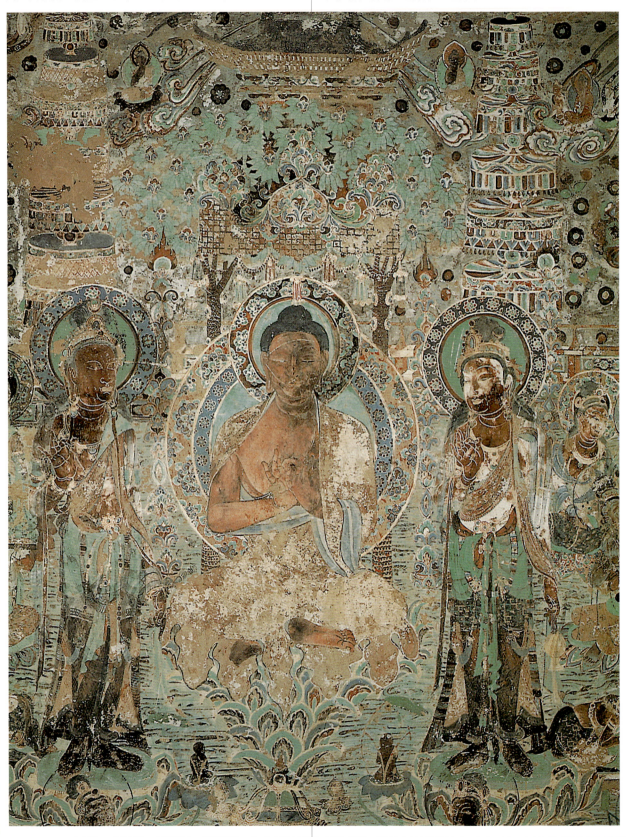

樂隊
唐
位于甘肅敦煌市莫高窟第220窟北壁西側。

此圖爲藥師經變畫之局部。樂隊共十五人，分別演奏豎笛、箜篌、拍板、橫笛和鼓等樂器，前方一歌手持盤吟唱。

甘肅敦煌莫高窟（公元三六六年至公元一三六八年）

[石窟寺壁畫]

樂隊
唐
位于甘肅敦煌市莫高窟第220窟北壁東側。

此圖爲藥師經變畫之局部。樂隊坐于地毯之上，奏樂天人皆袒上身，身繞帔帛。所奏樂器有簫、竽、觱篥、阮咸、腰鼓、毛圓鼓、笛等種類。

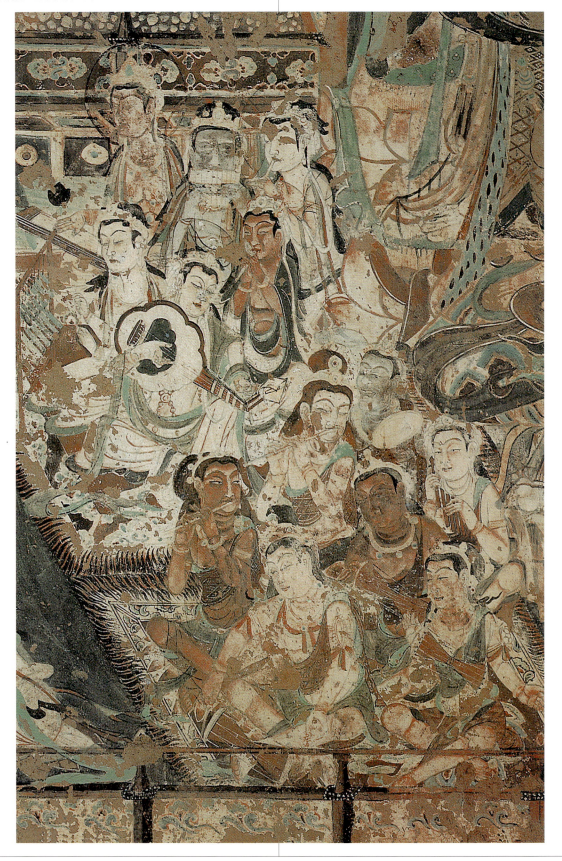

[石窟寺壁畫]

甘肅敦煌莫高窟（公元三六六年至公元一三六八年）

馬夫與馬
唐
位于甘肅敦煌市莫高窟第431窟西壁下部。
圖中馬夫手執繮繩，抱頭蹲坐而睡。二匹馬安詳而立，馬鞍、馬轡等配件表現清晰。

未生怨故事畫
唐
位于甘肅敦煌市莫高窟第209窟西壁南側上部。
圖中下部畫國王頻婆娑羅被囚于室內；左上爲國王與王后于室內念佛，佛遣弟子阿難、目犍連飛來爲之説法；右上爲太子阿闍世拔劍欲殺母后韋提希。

[石窟寺壁畫]

山中說法
唐
位於甘肅敦煌市莫高窟第209窟南壁西側上部。

圖中山水樹林間佛作說法狀，其身邊有脅侍菩薩或弟子；前方有婦人作聽法禮拜狀，婦人高髻，內著窄袖衫，外套裙襦。

甘肅敦煌莫高窟（公元三六六年至公元一三六八年）

【石窟寺壁畫】

菩薩與天王
唐
位于甘肅敦煌市莫高窟第209窟南壁東側。

圖中右側爲兩菩薩，頭戴寶冠，頸戴項圈，身繞帔帛，下穿長裙，作聽法狀；左側爲兩天王，戴寶冠，身着甲衣。

甘肅敦煌莫高窟（公元三六六年至公元一三六八年）

[石窟寺壁畫]

甘肅敦煌莫高窟（公元三六六年至公元一三六八年）

莫高窟第209窟窟頂壁畫
唐
位于甘肅敦煌市莫高窟第209窟窟頂。
窟頂爲覆斗藻井頂，石榴葡萄井心，四石榴對稱排列，八串葡萄交錯纏枝，布滿井心。邊飾有各種紋樣及垂角、帷幔等。窟頂西披爲主佛火焰紋背光，兩側繪乘象入胎和逾城出家故事，其餘部分各繪說法圖一鋪。

[石窟寺壁畫]

甘肅敦煌莫高窟（公元三六六年至公元一三六八年）

[石窟寺壁畫]

甘肅敦煌莫高窟（公元三六六年至公元一三六八年）

水池樓臺
唐
位于甘肅敦煌市莫高窟第321窟北壁東側。爲阿彌陀經變畫的一部分。水池中建有平臺和一座樓閣。平臺四周繞以花板欄杆，欄杆各部件界面清晰。

十一面觀音

唐

位于甘肅敦煌市莫高窟第321窟東壁北側。

圖中觀世音菩薩十一面，正面所戴寶冠上有化佛；六臂，其中一臂提淨瓶，一臂拿柳枝。上方有華蓋、寶樹，兩側為脅侍菩薩。

【石窟寺壁畫】

甘肅敦煌莫高窟（公元三六六年至公元一三六八年）

[石窟寺壁畫]

甘肅敦煌莫高窟（公元三六六年至公元一三六八年）

供養天
唐

位于甘肅敦煌市莫高窟第321窟西壁龕頂南側。圖下方有六身天人像，有頭光，袒上身，戴項圈，披瓔珞，憑欄下視。欄格中有游龍、游鳳及忍冬等圖案，另畫有白鴿銜瓔珞。圖上方畫佛像和飛天。

[石窟寺壁畫]

甘肅敦煌莫高窟（公元三六六年至公元一三六八年）

飛天
唐
位于甘肅敦煌市莫高窟第321窟西壁龕頂南側。
圖中背景爲寶樹；兩飛天姿態飄逸，袒上身，身繞披巾，隨風長飄，旁邊飾捲雲紋。

説法圖
唐
位于甘肅敦煌市莫高窟第329窟東壁。
圖中爲一佛二菩薩。佛着色濃重，菩薩設色淡雅。

[石窟寺壁畫]

甘肅敦煌莫高窟（公元三六六年至公元一三六八年）

藻井圖案
唐
位于甘肅敦煌市莫高窟第329窟窟頂。

藻井中心繪蓮花，花心呈五色轉輪，四身飛天圍繞周圍。外圍繪飛行伎樂天十二身。

藻井圖案

[石窟寺壁畫]

甘肅敦煌莫高窟（公元三六六年至公元一三六八年）

外道女
唐
位于甘肅敦煌市莫高窟第335窟西壁龕內南側。
圖中表現兩外道婦女信徒在勞度叉與佛鬥法中，被狂風吹得站立不住之情景。

女供養人
唐
位于甘肅敦煌市莫高窟第329窟東壁南側。
圖中女供養人面相豐滿，內着圓領窄袖小衫，下套長裙襦，跪于地上。

423

[石窟寺壁畫]

甘肅敦煌莫高窟（公元三六六年至公元一三六八年）

維摩詰經變畫
唐
位于甘肅敦煌市莫高窟第335窟北壁。
畫面表現文殊菩薩率眾菩薩、弟子等來毗耶離城問疾，與維摩詰居士相對辯論。此外畫面中還穿插方便品、不可思議品等其他各品的情節。

[石窟寺壁畫]

甘肅敦煌莫高窟（公元三六六年至公元一三六八年）

[石窟寺壁畫]

甘肅敦煌莫高窟（公元三六六年至公元一三六八年）

勞度叉
唐

位于甘肅敦煌市莫高窟第335窟西壁龕內南側。
圖中交脚而坐者爲勞度叉，頭束髻，長鬚髯，爲婆羅門外道形象；另一人爲其弟子。圖中表現兩人被狂風吹得睜不開眼之情形。

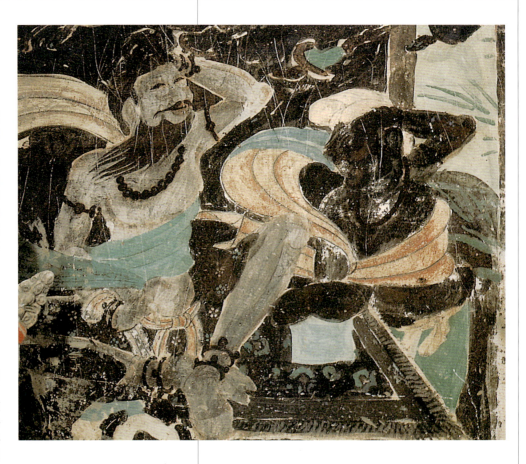

佛教史迹畫
唐

位于甘肅敦煌市莫高窟第323窟北壁上部。
圖中左側繪漢武帝獲匈奴祭天金人和張騫出使西域故事，中部和右側另繪有佛陀聖迹和神异事迹畫等。

[石窟寺壁畫]

甘肅敦煌莫高窟（公元三六六年至公元一三六八年）

曇延祈雨圖
唐
位於甘肅敦煌市莫高窟第323窟南壁東側上部。
圖中右下方畫隋文帝請曇延法師入朝；左下方為曇延坐于肩輿之上；左上方曇延坐于高座上祈雨，天空烏雲密布；中間畫一寶塔，其中舍利塔放出光芒；右上方為曇延為隋文帝講法。

[石窟寺壁畫]

菩薩
唐
位于甘肅敦煌市莫高窟第372窟南壁。

圖中立者爲大勢至菩薩，頭戴寶冠，頸戴項圈，身披瓔珞斜交于腹前；交脚而坐者爲文殊菩薩，作聽法狀。

甘肅敦煌莫高窟（公元三六六年至公元一三六八年）

石窟寺壁畫

藻井圖案
唐
位于甘肅敦煌市莫高窟第372窟窟頂。
藻井井心畫團花，團花中心爲捲雲紋，外圍邊飾爲半團花、纏枝捲草、魚鱗等紋樣及垂角、帷幔。

甘肅敦煌莫高窟（公元三六六年至公元一三六八年）

[石窟寺壁畫]

甘肅敦煌莫高窟（公元三六六年至公元一三六八年）

彌勒上生經變畫
唐
位于甘肅敦煌市莫高窟第338窟西壁龕頂。畫面表現兜率天宮，正中有三開間佛殿一所，彌勒佛坐于其間說法。屋頂鴟尾高聳，屋脊正中有寶珠一枚。主體建築間有迴廊相連。

[石窟寺壁畫]

甘肅敦煌莫高窟（公元三六六年至公元一三六八年）

[石窟寺壁畫]

菩薩
唐
位于甘肅敦煌市莫高窟第71窟北壁。

圖中菩薩皆戴寶冠，長髮披肩，戴項圈，身繞帔帛。下方菩薩右手支頤，作思惟狀；上方菩薩手拈花，其姿態神情與印度阿旃陀第26窟壁畫中的菩薩極爲相近。

【石窟寺壁畫】

甘肅敦煌莫高窟（公元三六六年至公元一三六八年）

說法圖（上圖）
唐
位于甘肅敦煌市莫高窟第334窟西壁龕頂。
圖中佛倚坐説法，背景繪茂盛的菩提樹和碧緑的芭蕉。

十一面觀音
唐
位于甘肅敦煌市莫高窟第334窟東壁門上。
圖中觀世音菩薩結跏趺坐于蓮座上，共十一面，寶冠中有化佛，身斜挂帔帛，戴項圈；兩側爲兩脅侍菩薩，一持盤，一雙手合十，作供養狀。

[石窟寺壁畫]

甘肅敦煌莫高窟（公元三六六年至公元一三六八年）

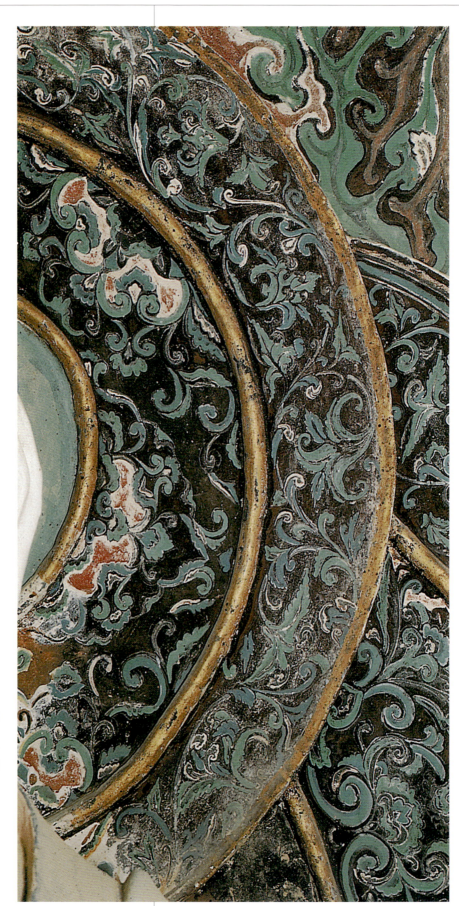

佛像頭光
唐
位于甘肅敦煌市莫高窟第334窟西壁龕內。
頭光內圈以蓮瓣、花蕾、忍冬葉組成紋樣；外圈以捲草纏枝忍冬組成紋樣。

[石窟寺壁畫]

甘肅敦煌莫高窟（公元三六六年至公元一三六八年）

天女
唐
位于甘肅敦煌市莫高窟第334窟西壁龕內北側。
圖中天女頭戴山形冠，身穿寬袖長袍，開襟，左手持羽扇，神情飛揚。

菩薩
唐
位于甘肅敦煌市莫高窟第334窟西壁龕內北側。
圖中菩薩胡跪于蓮座上，雙手捧鉢，頭上仰，作供養狀。

[石窟寺壁畫]

甘肅敦煌莫高窟（公元三六六年至公元一三六八年）

大勢至菩薩（左圖）
唐
位于甘肅敦煌市莫高窟第217窟西壁南側。
圖中大勢至菩薩交手而立，雙重頭光，頭戴寶冠，冠中有寶瓶，着僧祇支，上有團花等圖案，戴項圈，披長瓔珞，繞帔帛。

弟子
唐
位于甘肅敦煌市莫高窟第217窟西壁龕內北側。
圖中弟子爲比丘形象，長眉下垂，神情和睦。

【石窟寺壁畫】

甘肅敦煌莫高窟（公元三六六年至公元一三六八年）

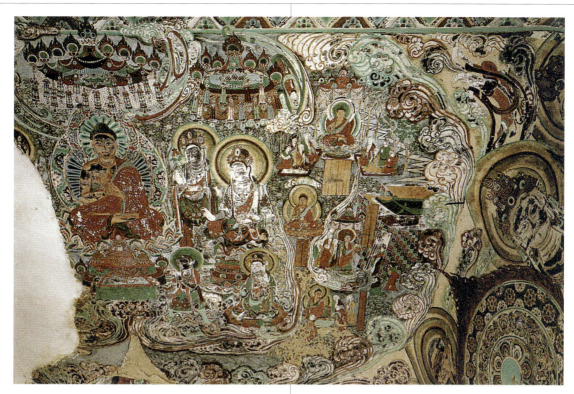

說法圖（上圖）
唐
位于甘肅敦煌市莫高窟第217窟西壁龕頂。
圖中繪釋迦牟尼爲四衆說法。

菩薩
唐
位于甘肅敦煌市莫高窟第217窟西壁龕內北側。
圖中菩薩頭戴華麗寶冠。

[石窟寺壁畫]

剃度
唐

位于甘肅敦煌市莫高窟第217窟西壁龕頂。
圖中釋迦牟尼佛一手托鉢，率弟子乘雲至迦毗羅衛城，城上有廡殿頂漢式建築。城門口迎接的婦女爲釋迦牟尼的姨母，高髻，穿窄袖衫，外套齊胸裙襦。表現釋迦牟尼爲姨母剃度。

[石窟寺壁畫]

拜塔
唐
位于甘肅敦煌市莫高窟第217窟南壁東側。
圖中畫一塔，塔基爲圓形，磚砌；塔身爲鐘形，內有一佛；塔頂爲覆鉢，檐飾山花、蕉葉；塔刹四重相輪，刹頂爲仰蓮。四周爲禮拜之僧、俗衆人。

甘肅敦煌莫高窟（公元三六六年至公元一三六八年）

[石窟寺壁畫]

十六觀

唐
位于甘肅敦煌市莫高窟第217窟北壁東側。

圖中所繪爲十六觀中的日想觀、水想觀、地想觀和寶池觀四觀。

【石窟寺壁畫】

菩薩
唐
位于甘肅敦煌市莫高窟第217窟南壁中部。
圖爲法華經變圖之局部。圖中菩薩皆戴寶冠、項圈，斜披瓔珞，身或披帛，或披袈裟，或立或坐，神態各异。

甘肅敦煌莫高窟（公元三六六年至公元一三六八年）

[石窟寺壁畫]

甘肅敦煌莫高窟（公元三六六年至公元一三六八年）

阿彌陀佛
唐
位于甘肅敦煌市莫高窟第217窟北壁。

圖爲觀無量壽經變畫的一部分。圖中阿彌陀佛坐于高蓮座之上，作說法狀，頭上有華蓋。佛旁站立四脅侍菩薩。

[石窟寺壁畫]

甘肅敦煌莫高窟（公元三六六年至公元一三六八年）

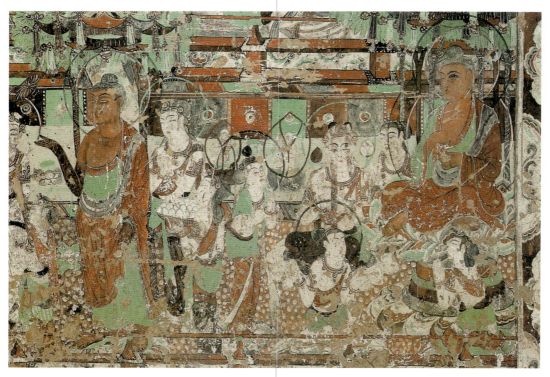

説法圖（上圖）
唐
位于甘肅敦煌市莫高窟第217窟北壁。
圖中阿彌陀佛内着僧祇支，外披袈裟，坐于束腰蓮座上，其旁爲供養聽法菩薩、天人；蓮瓣中有化生童子。

樂舞天人
唐
位于甘肅敦煌市莫高窟第217窟北壁。
圖中兩天人戴寶冠、項圈，飄帶飛揚纏繞，其旁邊爲七寶池、八功德水，上有水禽和蓮花化生童子。

443

[石窟寺壁畫]

聽法菩薩
唐
位于甘肅敦煌市莫高窟第328窟西壁龕頂。

圖中菩薩或坐或立，冠飾各异，皆戴項圈，身繞帔帛，手或持琉璃盤，或合十，作聽法狀。

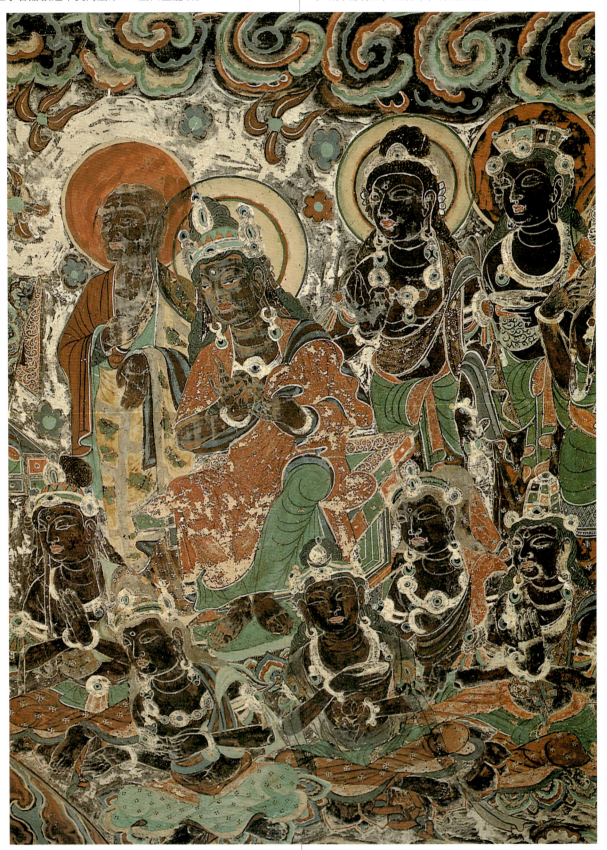

[石窟寺壁畫]

甘肅敦煌莫高窟（公元三六六年至公元一三六八年）

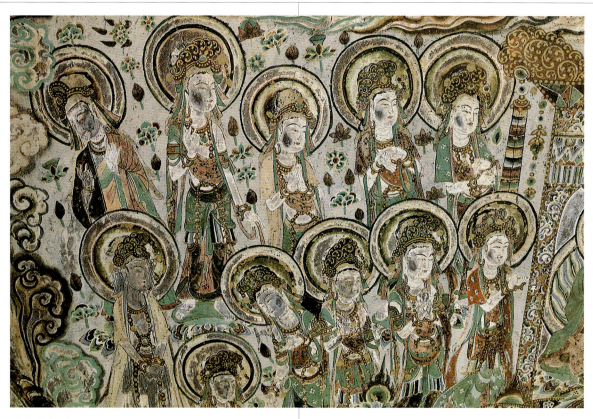

菩薩（上圖）
唐
位于甘肅敦煌市莫高窟第45窟西壁。
圖中菩薩頭戴寶冠，神態各异，皆作聽法供養狀。

奏樂天人
唐
位于甘肅敦煌市莫高窟第45窟北壁。
圖中伎樂天人皆袒上身，身繞披巾，所奏樂器有琵琶、簫、箜篌、排簫和腰鼓等。

[石窟寺壁畫]

甘肅敦煌莫高窟（公元三六六年至公元一三六八年）

十六觀
唐
位于甘肅敦煌市莫高窟第45窟北壁。
圖中繪十六觀中的十三種。從左上角依次爲：日想觀、水想觀、地想觀、寶樹想觀、寶池觀、總想觀、蓮花座想觀、佛像想觀、佛眞身想觀、觀世音想觀、大勢至想觀、中品中生觀和下品下生觀。

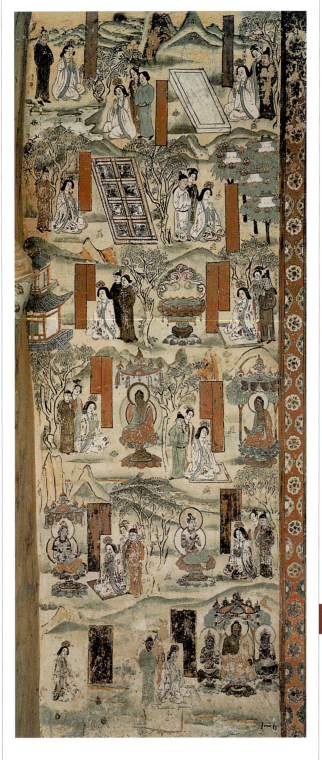

未生怨
唐
位于甘肅敦煌市莫高窟第45窟北壁東側。
圖從下而上依次表現：阿闍世太子詢問父王情況；太子提劍欲殺母后韋提希夫人；佛現身爲被囚禁的韋提希夫人說法；佛囑阿難告知韋提希夫人作十六想觀。

[石窟寺壁畫]

觀世音菩薩
唐
位于甘肅敦煌市莫高窟第45窟南壁。

圖中觀音菩薩頭戴花冠，冠中有化佛，袒上身，戴項圈，披瓔珞，身繞帔帛，手提净瓶；其上方爲摩尼寶珠華蓋；兩側爲觀音經變内容。

甘肅敦煌莫高窟（公元三六六年至公元一三六八年）

石窟寺壁畫

甘肅敦煌莫高窟（公元三六六年至公元一三六八年）

觀音經變畫局部之一

觀音經變畫
唐
位于甘肅敦煌市莫高窟第45窟南壁。
圖中表現多種觀音變身說法故事。

觀音經變畫局部之二

【石窟寺壁畫】

甘肅敦煌莫高窟（公元三六六年至公元一三六八年）

飛天
唐
位于甘肅敦煌市莫高窟第39窟西壁龕內南側。
圖中飛天袒上身，戴項圈，身上帔帛上揚飄逸，左手持一蓮花寶珠。

[石窟寺壁畫]

飛天
唐

位于甘肅敦煌市莫高窟第39窟西壁龕頂。圖中以蓮花爲背景，飛天雙手捧珠，飄巾後揚，位于五彩雲上，作飛翔狀。

甘肅敦煌莫高窟（公元三六六年至公元一三六八年）

【石窟寺壁畫】

甘肅敦煌莫高窟（公元三六六年至公元一三六八年）

菩薩
唐
位于甘肅敦煌市莫高窟第33窟西壁龕內南側。
圖中菩薩頭戴寶冠，頸戴項圈，身披瓔珞，繞帔帛。

[石窟寺壁畫]

菩薩
唐
位於甘肅敦煌市莫高窟第103窟南壁。

圖中一菩薩交腳坐於蓮花座上,袒上身,身繞帔帛。其上方有華蓋、花樹;其左有一脅侍菩薩和佛弟子;右下方一菩薩雙手持盤作供養狀。

法華經變化城喻品

唐
位于甘肅敦煌市莫高窟第103窟南壁西側。

圖中騎馬、象者爲商隊；右上方爲一城，城中有一塔，塔有四門。

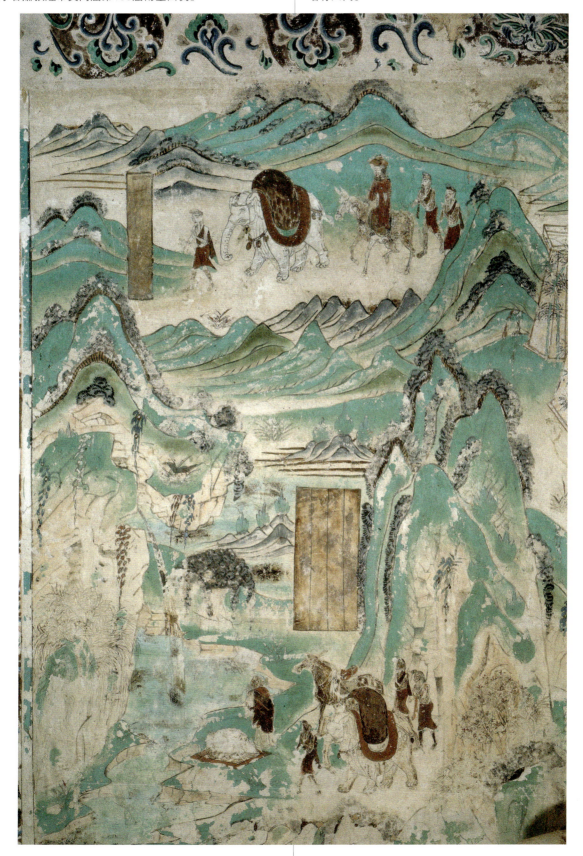

甘肅敦煌莫高窟（公元三六六年至公元一三六八年）

[石窟寺壁畫]

甘肅敦煌莫高窟（公元三六六年至公元一三六八年）

文殊菩薩
唐
位于甘肅敦煌市莫高窟第103窟東壁北側。

畫面表現文殊和維摩詰對答場景之文殊菩薩。文殊周圍繪隨行的弟子和帝王群臣。

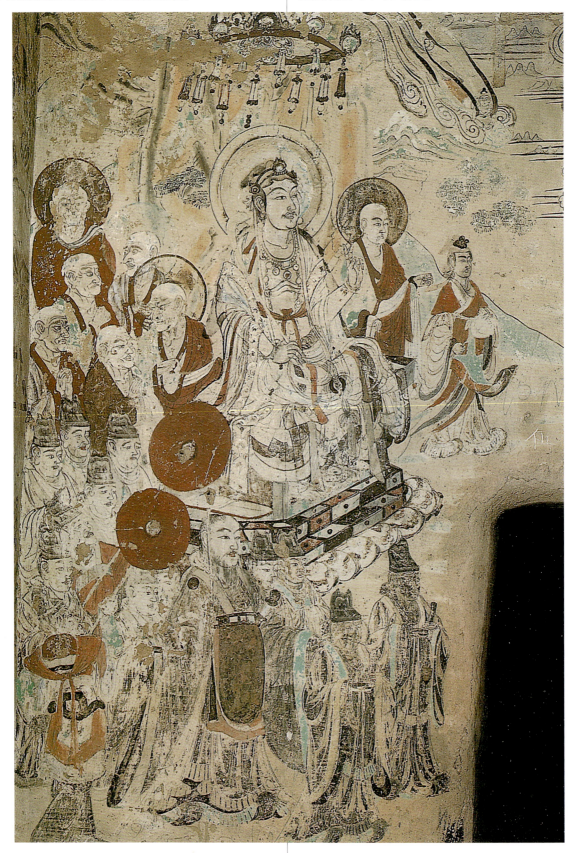

[石窟寺壁畫]

維摩詰
唐
位于甘肅敦煌市莫高窟第103窟東壁南側。

圖中維摩詰坐于榻上，正與文殊菩薩對答。畫面下部繪各國王子和香積菩薩。

甘肅敦煌莫高窟（公元三六六年至公元一三六八年）

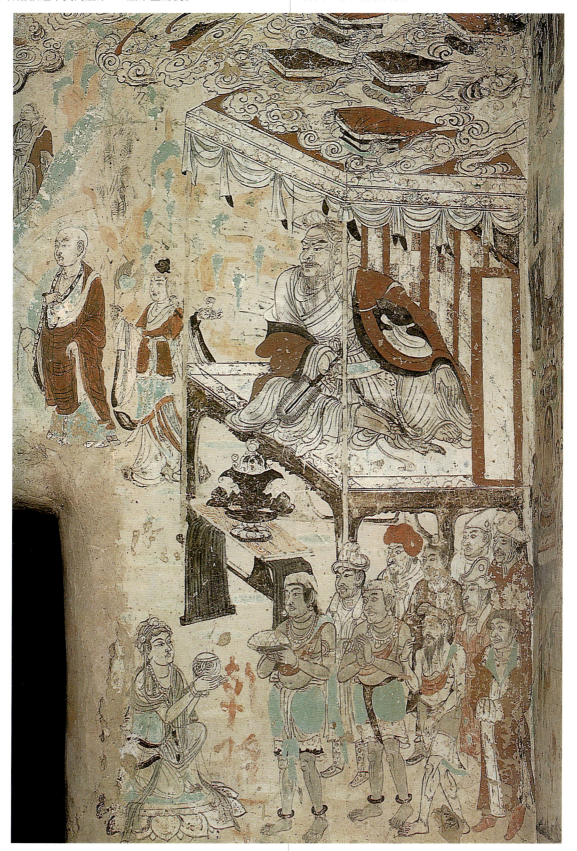

[石窟寺壁畫]

菩薩
唐
位于甘肅敦煌市莫高窟第23窟西壁。
圖中菩薩左手捧蓮花，右手持楊枝。

【石窟寺壁畫】

甘肅敦煌莫高窟（公元三六六年至公元一三六八年）

法華經變畫
唐
位于甘肅敦煌市莫高窟第23窟北壁。
畫面上部爲法華經的"藥草喻品"，繪田間禾木藥草生長茂盛，農夫驅牛耕作的情景。下部爲"方便品"，左側繪一塔，塔前有樂舞。

[石窟寺壁畫]

法華經變觀音普門品
唐
位于甘肅敦煌市莫高窟第23窟窟頂東披。

畫面以山水爲背景，畫屋舍內男女對坐閑話，屋外有人撕打，又有人呆立，低頭愁思。表現的是《法華經·觀音普門品》中內容。此圖爲局部。

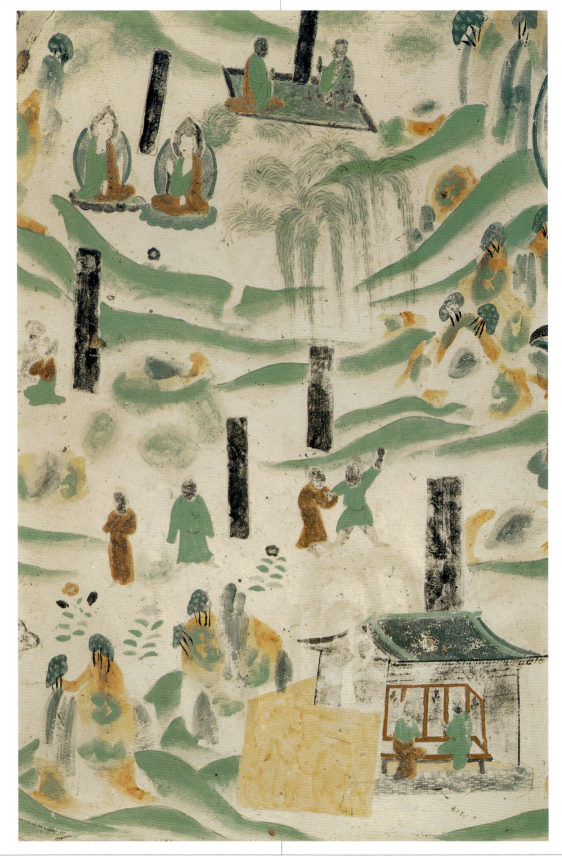

[石窟寺壁畫]

甘肅敦煌莫高窟（公元三六六年至公元一三六八年）

女供養人
唐
位於甘肅敦煌市莫高窟第225窟東壁。
圖中供養人手持長柄香爐。

舞蹈
唐
位於甘肅敦煌市莫高窟第445窟南壁。
圖中伎樂天頭戴寶冠，袒上身，飄帶捲揚，赤足而舞。

459

[石窟寺壁畫]

甘肅敦煌莫高窟（公元三六六年至公元一三六八年）

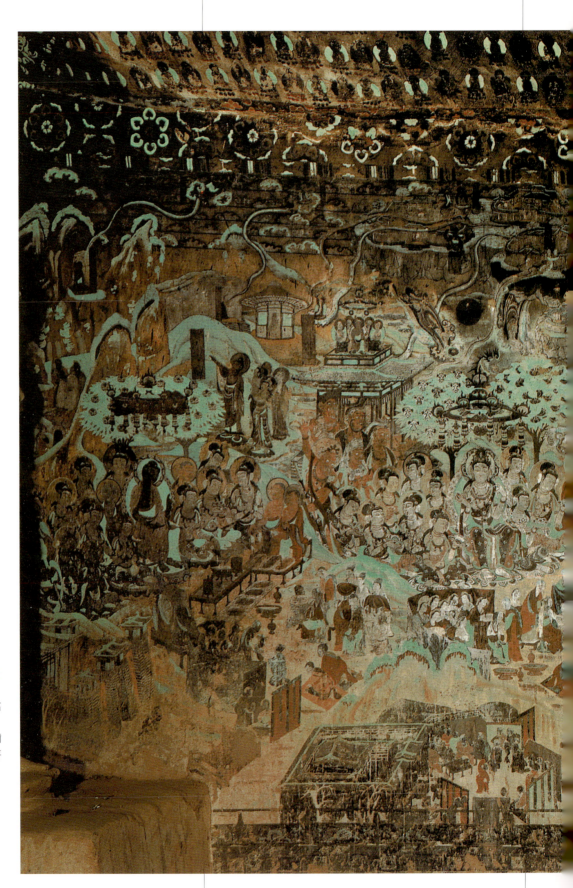

彌勒下生經變畫
唐
位于甘肅敦煌市莫高窟第445窟北壁。畫面中央平臺上以彌勒佛爲中心，衆多菩薩圍繞佛座聽法。

[石窟寺壁畫]

甘肅敦煌莫高窟（公元三六六年至公元一三六八年）

[石窟寺壁畫]

甘肅敦煌莫高窟（公元三六六年至公元一三六八年）

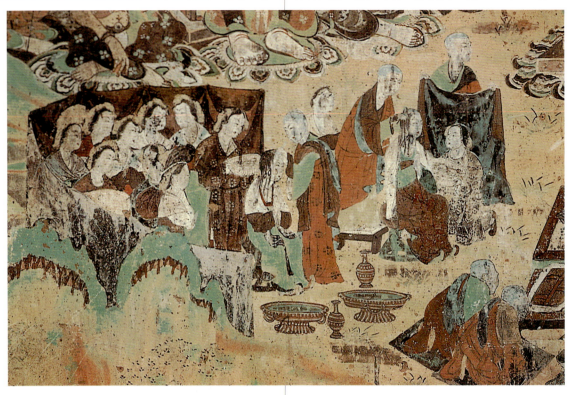

剃度（上圖）
唐
位于甘肅敦煌市莫高窟第445窟北壁。
"彌勒下生經變畫"左下方之局部，表現儴佉王的王妃宮女集體剃度出家之情景。落髮由比丘尼主持。

伎樂
唐
位于甘肅敦煌市莫高窟第445窟南壁。
圖中共有六伎樂天位于珠柱之上，袒上身，披帔帛，奏長笛、箜篌、琵琶、排簫、笛和鐃等樂器。

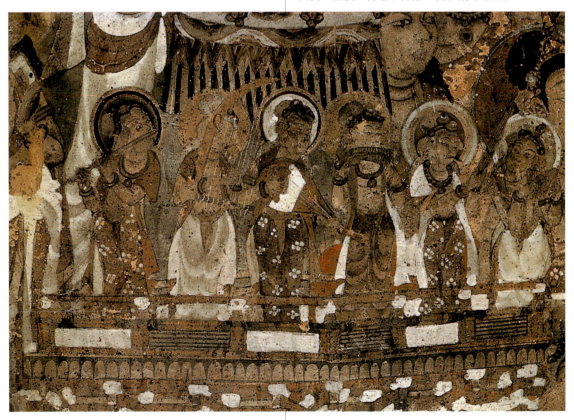

觀世音菩薩
唐
位于甘肅敦煌市莫高窟第320窟西壁南側。
圖中觀世音菩薩頭戴寶冠，冠中有化佛，戴項圈、瓔珞，繞帔巾，衣裙透薄，左手提淨瓶，右手持柳枝，赤足而立。

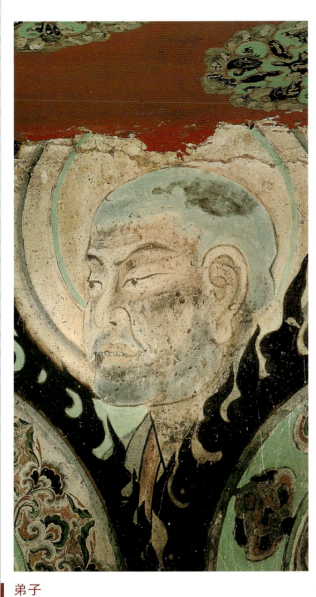

弟子
唐
位于甘肅敦煌市莫高窟第444窟西壁龕内。
圖中弟子作凝神聽法狀。

[石窟寺壁畫]

藻井圖案
唐
位於甘肅敦煌市莫高窟第320窟窟頂。

藻井中央爲團花圖案，外層飾有方勝紋、蓮瓣紋、垂角紋和瓔珞等。

甘肅敦煌莫高窟（公元三六六年至公元一三六八年）

[石窟寺壁畫]

甘肅敦煌莫高窟（公元三六六年至公元一三六八年）

觀無量壽經變畫（上圖）
唐
位于甘肅敦煌市莫高窟第320窟北壁。
畫面表現西方净土情景。圖中央爲阿彌陀佛，兩側爲觀世音菩薩和大勢至菩薩；上方爲樓閣亭榭，虚空中有化佛；下方爲七寶池、八功德水和樂舞形象。右側一竪欄爲未生怨，左側一竪欄爲十六觀題材。

山水
唐
位于甘肅敦煌市莫高窟第172窟東壁。
此圖爲文殊經變畫的局部，表現的是文殊菩薩道場五臺山的風光。

465

[石窟寺壁畫]

聽法菩薩和天人
唐
位于甘肅敦煌市莫高窟第172窟北壁。

此圖爲觀無量壽經變畫的局部。圖中下部繪平臺，平臺上菩薩和天人聽法。環繞着平臺有宏偉壯麗的建築群，佛殿中現十方諸佛。

甘肅敦煌莫高窟（公元三六六年至公元一三六八年）

【 石窟寺壁畫 】

甘肅敦煌莫高窟（公元三六六年至公元一三六八年）

菩薩
唐
位于甘肅敦煌市莫高窟第79窟西壁龕內北側。
圖中菩薩戴寶冠，長髮披肩，戴項圈、瓔珞。背景圖案繪石榴花、蓮花等。

供養菩薩
唐
位于甘肅敦煌市莫高窟第172窟北壁。
圖中菩薩胡跪，手捧花朵供養。

[石窟寺壁畫]

飛天
唐
位于甘肅敦煌市莫高窟第172窟西壁龕頂。

圖中繪兩身飛天，皆袒上身，下穿長裙；一作上升狀，一作下降狀，飄帶揚起，襯以流雲。

甘肅敦煌莫高窟（公元三六六年至公元一三六八年）

十六觀

唐

位于甘肅敦煌市莫高窟第171窟北壁西側。

圖中表現韋提希夫人在作觀想，內容有日想觀、地想觀、水想觀、總想觀、佛像觀等；圖中有城池、樓閣等建築。

[石窟寺壁畫]

甘肅敦煌莫高窟（公元三六六年至公元一三六八年）

藻井圖案
唐
位于甘肅敦煌市莫高窟第79窟窟頂。

窟頂四披畫千佛，井心爲一團花，由四片葡萄葉和四朵花瓣對稱組織而成。外圍邊飾有聯珠紋、花苞紋等各種紋飾。

[石窟寺壁畫]

甘肅敦煌莫高窟（公元三六六年至公元一三六八年）

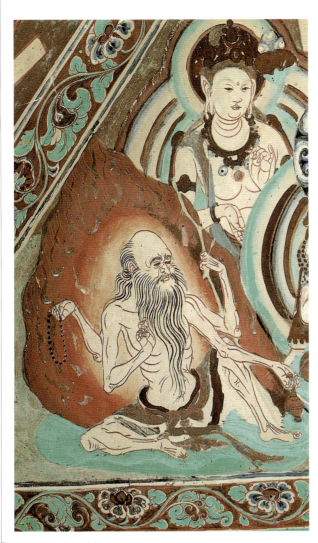

菩薩與火天神
唐
位于甘肅敦煌市莫高窟第148窟南壁龕頂西披。
圖中繪火天神婆羅門形象，長鬚，袒上身，四臂，一手提淨瓶，一手持念珠，有火焰背光。右上方菩薩爲女性形象，袒上身，戴項圈，神情和藹。邊飾爲忍冬蓮花。

菩薩
唐
位于甘肅敦煌市莫高窟第148窟北壁龕頂西披。
圖中央一菩薩交腳坐于蓮座上，袒上身，長髮披肩，左手托頰，作思惟狀，榜題爲"定自在王菩薩"；下方一菩薩，頭光内圈飾捲雲紋，榜題爲"大嚴菩薩"。

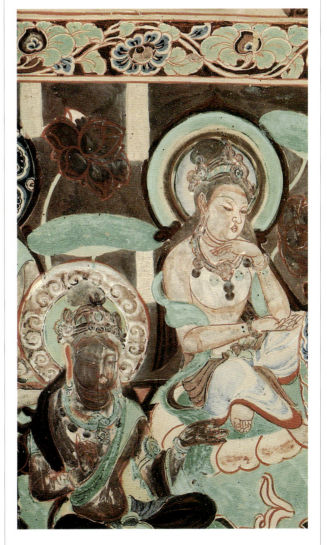

471

[石窟寺壁畫]

菩薩

唐

位于甘肅敦煌市莫高窟第148窟北壁龕頂北披。圖中菩薩皆坐于蓮座之上，袒上身，繞帔帛。右側菩薩雙手合十，榜題爲"大力菩薩"；上方菩薩右手托腮作思惟狀，榜題爲"思惟菩薩"；左側菩薩左手拿一寶印，榜題爲"執寶印菩薩"。

[石窟寺壁畫]

文殊菩薩
唐

位于甘肅敦煌市莫高窟第148窟南壁東側。

圖中文殊菩薩袒上身，戴項圈、瓔珞，騎于獅上，有頭光和身光，上有華蓋。獅子腳踏蓮花，由一昆侖奴牽引。

普賢菩薩
唐

位于甘肅敦煌市莫高窟第148窟北壁東側。

圖中普賢菩薩袒上身，戴寶冠、項圈，斜披瓔珞，手執長莖蓮花，騎于六牙白象上，頭光和身光裝飾華麗，上方有華蓋，下方有二昆侖奴。

甘肅敦煌莫高窟（公元三六六年至公元一三六八年）

【石窟寺壁畫】

甘肅敦煌莫高窟（公元三六六年至公元一三六八年）

藥師經變畫
唐

位于甘肅敦煌市莫高窟第148窟東壁。圖中藥師琉璃光佛居中央平臺中心，日光、月光菩薩左右脅侍，聽法會衆和神將列置兩旁。前臺設舞樂，中央平臺左、右和後部爲殿堂樓閣。

【 石窟寺壁畫 】

甘肅敦煌莫高窟（公元三六六年至公元一三六八年）

[石窟寺壁畫]

藥師經變畫（局部一）
唐
位于甘肅敦煌市莫高窟第148窟東壁。

爲"藥師經變畫"右側中部之局部。圖中佛坐于一歇山頂佛殿內；供養天人皆袒上身，繞帔帛，手托供品；旁邊寶池上布滿蓮花。邊飾爲忍冬石榴紋。

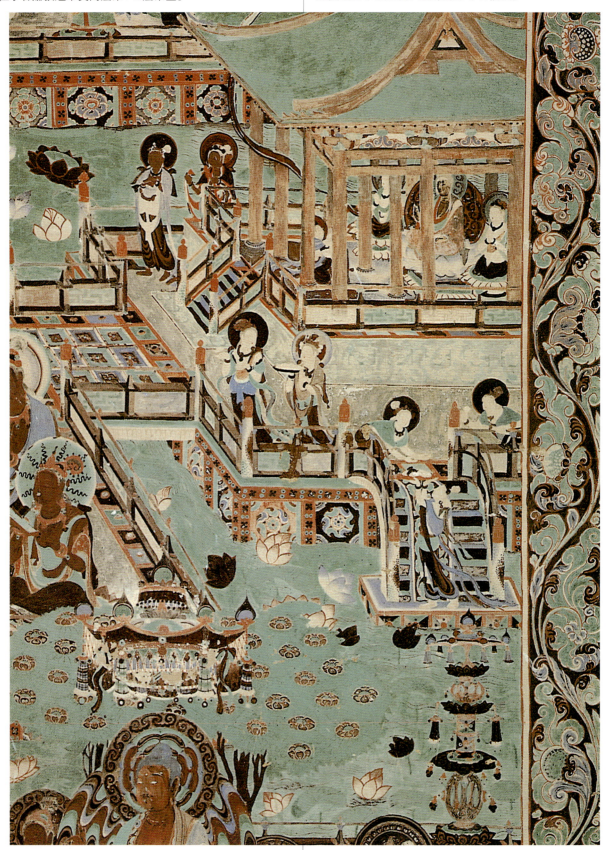

甘肅敦煌莫高窟（公元三六六年至公元一三六八年）

[石窟寺壁畫]

藥師經變畫（局部二）
唐
位于甘肅敦煌市莫高窟第148窟東壁。
爲"藥師經變畫"左側中部之局部。圖上方爲一座三開間單層佛殿，佛殿下有臺基、欄柱等，裝飾華麗；供養天人托盤走于其間；旁邊爲寶池，上有蓮花和化生童子。

甘肅敦煌莫高窟（公元三六六年至公元一三六八年）

[石窟寺壁畫]

甘肅敦煌莫高窟（公元三六六年至公元一三六八年）

觀無量壽經變畫
唐
位于甘肅敦煌市莫高窟第148窟東壁南側。

圖中間爲西方阿彌陀淨土。在中央平臺上，阿彌陀佛結跏趺坐，觀世音、大勢至菩薩及衆菩薩在左右脅侍。中央大平臺前並列五座小平臺，中間小平臺上有二人舞蹈，圖上方宮殿規模巨大。

[石窟寺壁畫]

甘肅敦煌莫高窟（公元三六六年至公元一三六八年）

[石窟寺壁畫]

甘肅敦煌莫高窟（公元三六六年至公元一三六八年）

舞樂
唐
位于甘肅敦煌市莫高窟第148窟東壁南側。
爲"觀無量壽經變畫"的局部。圖上方有二供養天人胡跪，雙手托蓮花供養；下方爲二天人手握飄帶，急旋而舞；兩側爲奏樂天人，或彈琵琶，或彈箜篌。臺榭建築上飾以寶相花、石榴花、蓮花、聯珠等唐流行紋飾。

【石窟寺壁畫】

甘肅敦煌莫高窟（公元三六六年至公元一三六八年）

481

[石窟寺壁畫]

駟馬車
唐
位于甘肅敦煌市莫高窟第148窟西壁。
圖中表現摩揭陀國王阿闍世坐于車內，大臣和衛士前後相隨，前往拘尸那城參加釋迦牟尼的火化儀式。

甘肅敦煌莫高窟（公元三六六年至公元一三六八年）

[石窟寺壁畫]

大勢至菩薩（右圖）
唐
位于甘肅敦煌市莫高窟第199窟西壁北側。圖中大勢至菩薩赤足立于蓮座上，右手托一琉璃杯，內有蓮花；其上方有化佛若干。

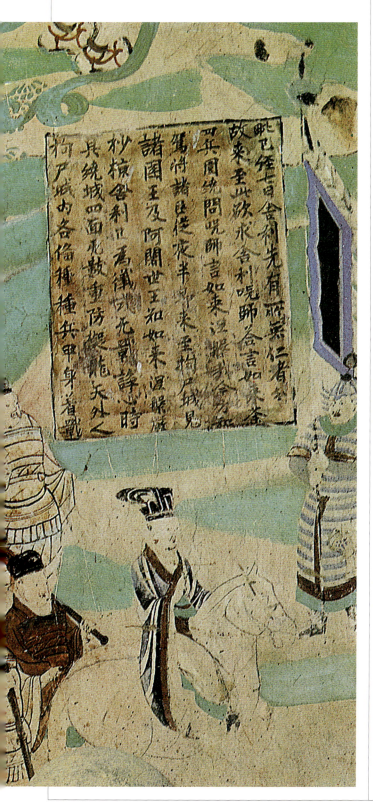

甘肅敦煌莫高窟（公元三六六年至公元一三六八年）

[石窟寺壁畫]

觀無量壽經變畫
唐

位于甘肅敦煌市莫高窟第112窟南壁。圖中間阿彌陀佛結跏趺坐于蓮座上，觀世音、大勢至菩薩及衆菩薩在左右脅侍。佛座前平臺上一人舞蹈，數伎樂分別演奏琵琶、橫笛、箜篌和拍板等樂器。圖上方宮殿規模宏大。

[石窟寺壁畫]

甘肅敦煌莫高窟（公元三六六年至公元一三六八年）

舞蹈
唐
位于甘肅敦煌市莫高窟第112窟南壁。
爲"觀無量壽經變畫"的局部。圖中天人袒上身，戴項圈，雙手置背後反彈琵琶，其一脚蹬地，一脚翹起。周圍飾以團花。

弟子
唐
位于甘肅敦煌市莫高窟第112窟南壁。
圖中兩弟子一年長一年少，皆作悉心聽法狀。

[石窟寺壁畫]

聽法圖
唐
位于甘肅敦煌市莫高窟第112窟南壁。

圖正中爲佛脅侍菩薩，頭光飾捲雲紋，身內著僧祇支，左手托一琉璃杯，內放一株蓮花；其旁有比丘形象的弟子，武將形象的天王，以及吹法螺等器樂的聽法天人。

甘肅敦煌莫高窟（公元三六六年至公元一三六八年）

[石窟寺壁畫]

力士
唐
位于甘肅敦煌市莫高窟第112窟北壁。

圖中力士袒上身，繞飄帶，手執金剛杵，身上肌肉發達，姿態强健有力。

甘肅敦煌莫高窟（公元三六六年至公元一三六八年）

[石窟寺壁畫]

甘肅敦煌莫高窟（公元三六六年至公元一三六八年）

舞樂（上圖）
唐
位于甘肅敦煌市莫高窟第112窟北壁。
圖中舞蹈者着羽領貼身衣，下穿羽口裙，單腿而立，雙手高舉過頭。樂隊共八人，分左右兩組，所奏樂器有笙、琵琶、箏、腰鼓和拍板等。

舞樂
唐
位于甘肅敦煌市莫高窟第112窟南壁。
圖中舞蹈者袒上身，雙手舉飄帶，翩翩起舞；兩側伎樂天奏海螺、長笛、觱篥、箜篌、笙和羯鼓等樂器。

[石窟寺壁畫]

菩薩與弟子
唐
位于甘肅敦煌市莫高窟第158窟南壁。
此圖爲涅槃經變畫的一部分。圖中下方穿袈裟、比丘形象者爲佛弟子，其中雙手高舉、作哀嚎狀者爲迦葉，下方弟子皆因佛涅槃而悲痛不已。上方爲菩薩像，表情肅然。

甘肅敦煌莫高窟（公元三六六年至公元一三六八年）

石窟寺壁畫

舉哀王子
唐
位于甘肅敦煌市莫高窟第158窟北壁。

此圖爲涅槃經變畫的一部分，表現聞知釋迦牟尼涅槃消息後，各國王子悲痛欲絶的場景。

【 石窟寺壁畫 】

天王與天龍八部衆
唐
位于甘肅敦煌市莫高窟第158窟西壁。
此圖爲涅槃經變畫的一部分。天王、天龍八部爲佛之護法神，聞佛涅槃時前往拘尸那城。圖中頭冠頂上繪龍者爲龍王，繪蛇者爲摩睺羅迦，手中托塔者爲北方毗沙門天王。

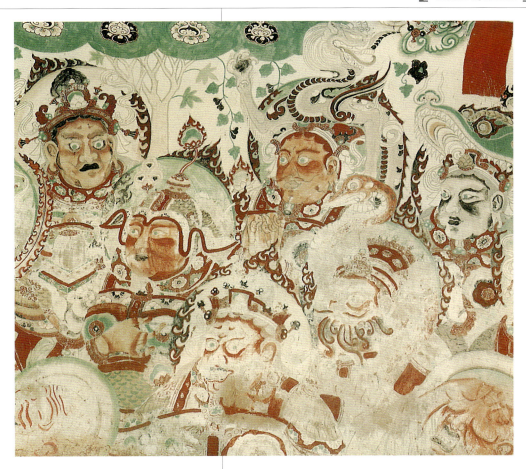

飛天
唐
位于甘肅敦煌市莫高窟第158窟西壁。
此圖爲涅槃經變畫的一部分。表現佛涅槃時，虛空中布滿幡、幢、花等供養物的情景。圖中飛天雙手執七寶瓔珞，乘彩雲，飛翔而至，對佛供養。

甘肅敦煌莫高窟（公元三六六年至公元一三六八年）

[石窟寺壁畫]

聽法圖
唐
位于甘肅敦煌市莫高窟第158窟東壁北側。

圖中上方菩薩胡跪于蓮座上，雙手合十，作聽法狀；右下方爲大梵天，穿寬袖長袍，頭戴蓮花寶冠，有頭光；左下方爲伎樂天在奏樂。

【 石窟寺壁畫 】

供養菩薩
唐
位于甘肅敦煌市莫高窟第158窟東壁。

圖中菩薩胡跪于蓮臺上，其頭光和身光以雲頭紋、垂角紋構成。

甘肅敦煌莫高窟（公元三六六年至公元一三六八年）

[石窟寺壁畫]

天請問經變畫
唐

位於甘肅敦煌市莫高窟第158窟東壁南側。畫面表現佛在給孤獨園答天衆所問法情景。圖中佛內着僧祇支，外着偏衫袈裟，作説法狀，上有華蓋、花樹。兩側菩薩或雙手合十，或手執蓮花，作聽法狀，圖中還繪有蓮池、欄楯、階梯等。

甘肅敦煌莫高窟（公元三六六年至公元一三六八年）

[石窟寺壁畫]

甘肅敦煌莫高窟（公元三六六年至公元一三六八年）

普賢經變畫
唐
位于甘肅敦煌市莫高窟第159窟西壁南側。
圖中普賢菩薩半跏趺坐于象背上，左手托琉璃盤，上置蓮花。白象前有一昆侖奴牽象繩，一昆侖奴頭頂供養器物。隨從眷屬有天王、菩薩、伎樂天等。背景爲普賢菩薩道場峨嵋山。

[石窟寺壁畫]

文殊經變畫
唐
位于甘肅敦煌市莫高窟第159窟西壁北側。

圖中文殊菩薩半跏坐于獅子上，手持寶劍，上有華蓋，下有兩昆侖奴。隨從眷屬還有金剛力士、天龍八部衆、菩薩、伎樂天等。背景爲文殊菩薩道場五臺山。

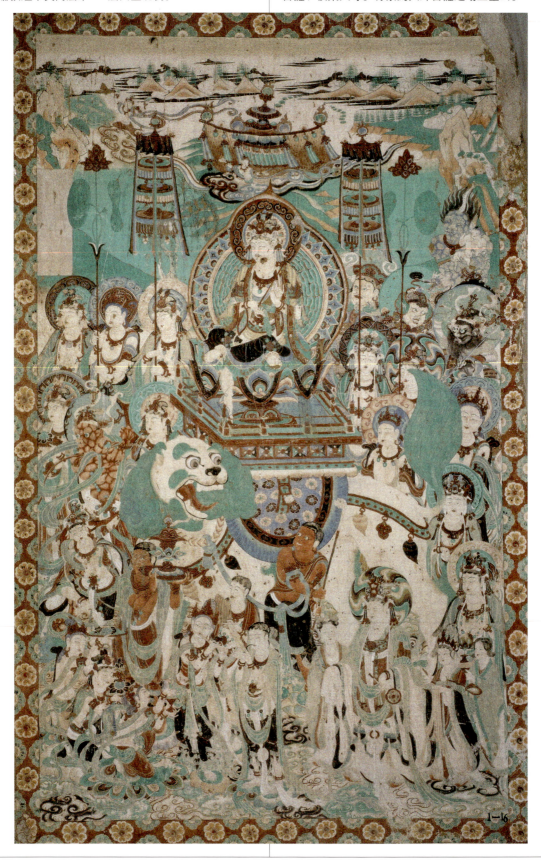

[石窟寺壁畫]

甘肅敦煌莫高窟（公元三六六年至公元一三六八年）

舞樂
唐
位于甘肅敦煌市莫高窟第159窟南壁。
圖中平臺上兩組樂隊相背，吹奏各種樂器，兩側橋上伎樂翩翩起舞；上方橋上有兩化生童子，兩側臺階上各有一迦陵頻伽鳥，亦作起舞狀。

供養菩薩
唐
位于甘肅敦煌市莫高窟第159窟南壁。
圖中菩薩有頭光，內飾捲雲紋，頭戴寶冠、項圈，袒上身，繞帔帛，雙手捧蓮花，跪于佛座前作供養狀。

[石窟寺壁畫]

樂隊
唐

位于甘肅敦煌市莫高窟第159窟南壁。
圖中伎樂天皆戴寶冠，袒上身，繞帔帛，所奏樂器有阮咸、箜篌、笙和箏等。

甘肅敦煌莫高窟（公元三六六年至公元一三六八年）

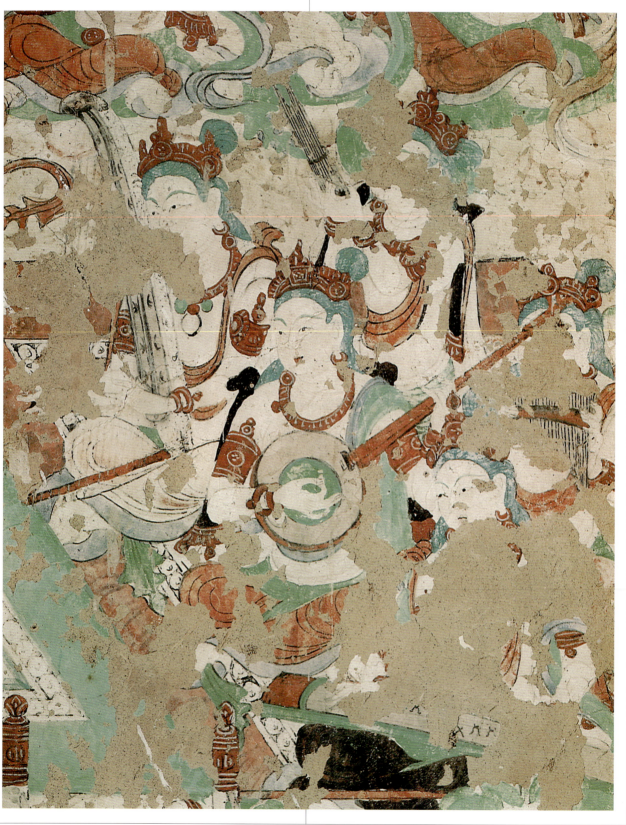

[石窟寺壁畫]

甘肅敦煌莫高窟（公元三六六年至公元一三六八年）

吐蕃贊普
唐
位于甘肅敦煌市莫高窟第159窟東壁南側。
圖中吐蕃贊普頭戴纏巾高冠，穿翻領長袍，手執香爐供養；後方一人執傘蓋；前方一人前引，腰間別雙劍；後面三人爲臣僕，手捧供養物。

【石窟寺壁畫】

維摩詰經變畫
唐
位于甘肅敦煌市莫高窟第159窟東壁。

畫面中部繪寶帳，維摩詰坐于其中，正與前來問疾的文殊菩薩辯論。

【 石窟寺壁畫 】

甘肅敦煌莫高窟（公元三六六年至公元一三六八年）

香積菩薩
唐
位于甘肅敦煌市莫高窟第159窟東壁北側。
圖中菩薩立于雲上，手持香鉢，撒飯供食衆生。

化生童子
唐
位于甘肅敦煌市莫高窟第159窟西壁龕頂。
圖中童子裸體，胡跪于蓮花上，手持花枝供養。

501

[石窟寺壁畫]

圖案
唐
位于甘肅敦煌市莫高窟第159窟窟頂。

圖案以茶花和菱形紋組成棋格，格內飾石綠、淡黃相間的五瓣團花。

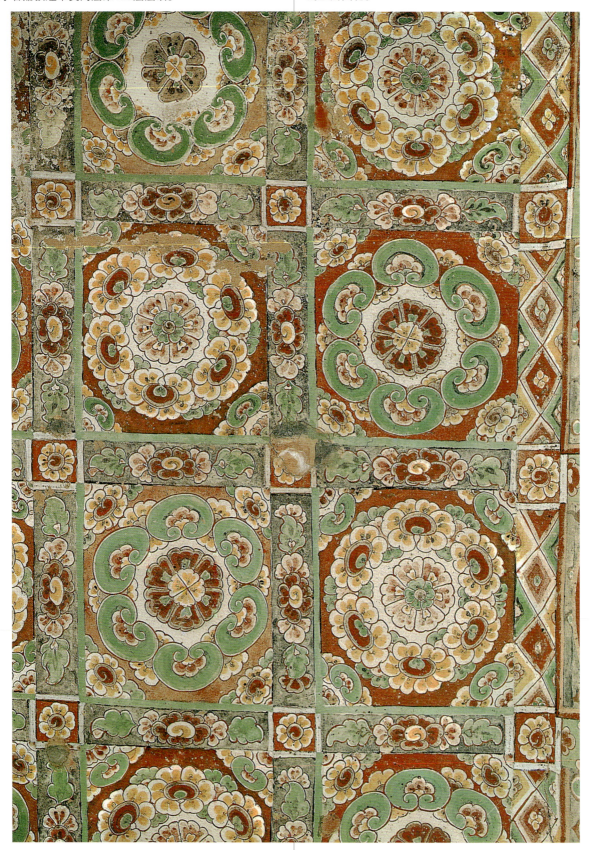

[石窟寺壁畫]

甘肅敦煌莫高窟（公元三六六年至公元一三六八年）

善事太子入海求寶
唐
位于甘肅敦煌市莫高窟第154窟北壁。
圖上方爲善事太子回國後和國王相抱而泣，下方爲善事太子將寶珠置于蓮花柱臺上，自己上高樓祈寶珠顯靈，寶珠遂變化財物普施衆生。

菩薩
唐
位于甘肅敦煌市莫高窟第154窟南壁。
圖中菩薩交脚坐于蓮座，雙手合十供養。

【石窟寺壁畫】

甘肅敦煌莫高窟（公元三六六年至公元一三六八年）

舞樂（上圖）
唐
位于甘肅敦煌市莫高窟第154窟北壁。
圖中一伎樂頭戴寶冠，袒上身，手執飄帶于平臺上起舞，左邊爲奏樂天人，所奏樂器有琵琶、羯鼓、長笛和箜篌等。

舞樂
唐
位于甘肅敦煌市莫高窟第154窟北壁。
圖中舞者于平臺上起舞，後面樂隊前排吹笙、簫和排簫，後排演奏觱篥、橫笛、鈴和拍板。

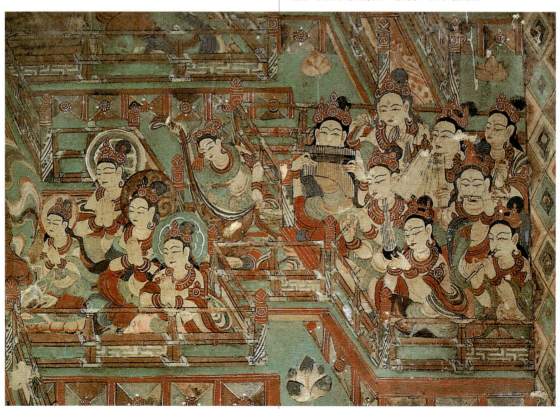

石窟寺壁畫

天王 瑞像
唐

位于甘肅敦煌市莫高窟第154窟南壁西側。

圖左側爲毗沙門天王,着甲冑,佩劍,腰挎刀,右手持戟,左手托塔;右側爲勃伽夷城瑞像,戴寶冠,穿長袍,脚踏山巒。此二尊像爲于闐國人所崇拜,故畫在一起。

甘肅敦煌莫高窟(公元三六六年至公元一三六八年)

[石窟寺壁畫]

甘肅敦煌莫高窟（公元三六六年至公元一三六八年）

庭院建築
唐
位于甘肅敦煌市莫高窟第237窟北壁。圖中上部建築爲四合庭院。正方形院落內建有三座"品"字形樓閣。院落四面正中皆開一大門，其兩側又各開一便門，四墻外各植樹一排。

瑞像
唐
位于甘肅敦煌市莫高窟第237窟西壁龕頂北披。
圖中畫像均有榜題欄，除左側未書寫外，中間爲"天竺摩伽國救苦觀世音菩薩"，右側爲"于闐故城瑞像"。

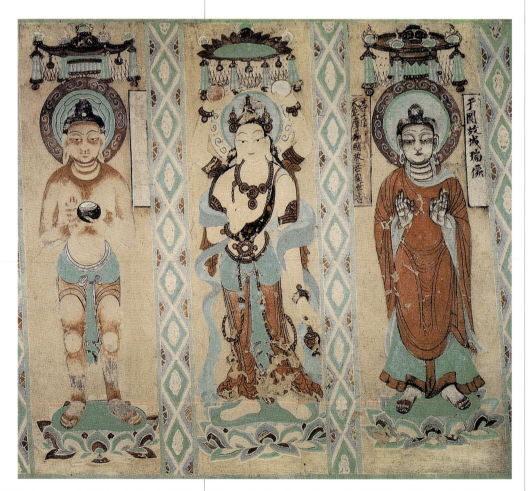

[石窟寺壁畫]

帝釋天
唐
位于甘肅敦煌市莫高窟第468窟西壁北側。

此圖爲文殊經變畫的一部分。圖中左側一人演奏琵琶，其后爲帝釋天及隨從侍女。

甘肅敦煌莫高窟（公元三六六年至公元一三六八年）

[石窟寺壁畫]

甘肅敦煌莫高窟（公元三六六年至公元一三六八年）

十二大願

唐

位于甘肅敦煌市莫高窟第468窟北壁西側。

本圖爲藥師經變十二大願之十一願。上欄畫一佛殿，殿內有坐佛，殿前有人在分發食物，走廊內有坐像；下欄佛殿內爲燃燈佛，殿前有人燃燈供養。此圖爲局部。

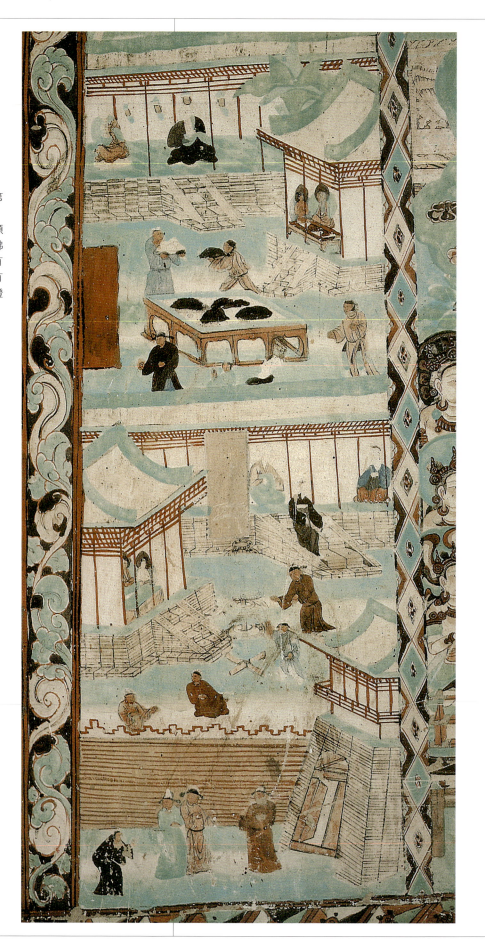

[石窟寺壁畫]

藥師佛說法圖
唐

位于甘肅敦煌市莫高窟第220窟甬道南壁龕内。圖中佛左手托鉢,頭上有華蓋,華蓋兩側繪飛天。

甘肅敦煌莫高窟(公元三六六年至公元一三六八年)

【石窟寺壁畫】

千手千鉢文殊
唐

位于甘肅敦煌市莫高窟第361窟東壁南側。
圖中文殊菩薩結跏趺坐于須彌山上，難陀、跋難陀兩龍王纏繞于山腰，下爲胎藏世界海，上有阿修羅神；千鉢中化幻出千佛；上方兩圓圈内繪日天、月天，分别乘馬和天鵝。

[石窟寺壁畫]

圖案
唐

位于甘肅敦煌市莫高窟第361窟窟頂。
整個圖案由八方八角形組成，八角形內飾雁紋聯珠團花。

甘肅敦煌莫高窟（公元三六六年至公元一三六八年）

511

[石窟寺壁畫]

甘肅敦煌莫高窟（公元三六六年至公元一三六八年）

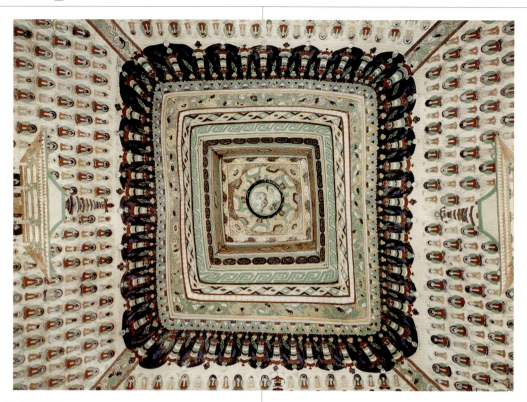

藻井圖案（上圖）
唐
位于甘肅敦煌市莫高窟第360窟窟頂。
井心爲一朵捲瓣蓮，蓮心繪迦陵頻伽。四周邊飾多種紋樣。四披各畫千佛及各種經變，西壁開一盝頂帳形龕，龕內有屏風畫。

藥師經變畫
唐
位于甘肅敦煌市莫高窟第360窟北壁。
圖中上部繪一組木構建築庭院，庭院內爲藥師佛說法。

512

[石窟寺壁畫]

近事女
唐
位于甘肃敦煌市莫高窟第17窟北壁西侧。

近事女,又稱優婆夷,即在家女居士。圖中近事女立于樹下,束雙高髻,身穿圓領缺胯長袍,右手執杖;樹枝上掛挎包。

甘肅敦煌莫高窟(公元三六六年至公元一三六八年)

513

[石窟寺壁畫]

比丘尼
唐
位于甘肅敦煌市莫高窟第17窟北壁東側。

圖中比丘尼立于樹下，雙手執扇；扇面上畫對鳳鳥，鳥嘴銜花枝；樹上方有對鳥；樹枝上挂着净瓶。此窟爲高僧洪䛒影窟，估計此人爲洪䛒的侍者。

甘肅敦煌莫高窟（公元三六六年至公元一三六八年）

【石窟寺壁畫】

甘肅敦煌莫高窟（公元三六六年至公元一三六八年）

張議潮出行圖（上圖）
唐
位于甘肅敦煌市莫高窟第156窟南壁下部。圖左側爲行進的軍隊，旌旗飄揚，刀戟林立；右側爲樂舞場面。此圖爲張議潮出行圖的前導部分。

舞樂
唐
位于甘肅敦煌市莫高窟第156窟南壁。圖中兩伎樂天一拍腰鼓，一反彈琵琶，翩翩起舞，兩側爲樂隊，所奏樂器有琵琶、箏、箜篌和拍板等。

[石窟寺壁畫]

千手千眼觀音
唐
位于甘肅敦煌市莫高窟第161窟窟頂藻井。

圖中觀世音菩薩結跏趺坐，冠中有化佛；周身畫千手，手心內繪千眼；手執金剛杵、三叉戟等法器；四角繪供養天人。

甘肅敦煌莫高窟（公元三六六年至公元一三六八年）

[石窟寺壁畫]

甘肅敦煌莫高窟（公元三六六年至公元一三六八年）

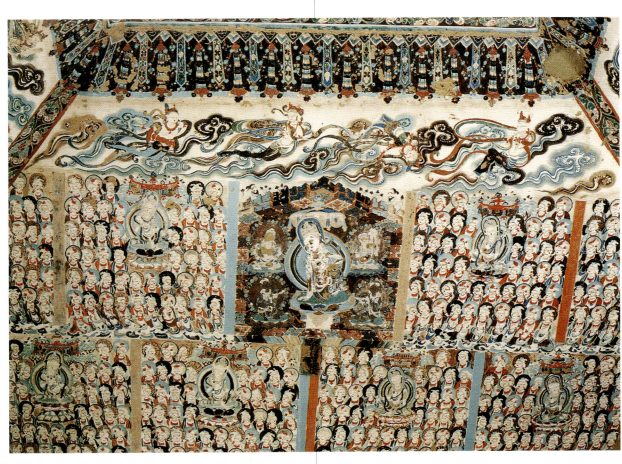

文殊經變畫（上圖）
唐
位于甘肅敦煌市莫高窟第161窟窟頂南披。圖中文殊周圍環繞聽法菩薩十組，每組有聽法菩薩若干身。上方爲伎樂飛天。

報恩經變序品
唐
位于甘肅敦煌市莫高窟第85窟南壁。圖中畫阿難見一婆羅門子負其母乞食，贊嘆不已，而另一婆羅門則奚落阿難。圖中執禪杖托鉢、比丘形象者爲阿難，執杖、袒上身者爲婆羅門。

[石窟寺壁畫]

甘肅敦煌莫高窟（公元三六六年至公元一三六八年）

屠房
唐
位于甘肅敦煌市莫高窟第85窟窟頂。
圖中屠夫于屠案上剔骨，架子上挂着鮮肉，兩隻狗卧于案旁。

思益梵天請問經變畫
唐
位于甘肅敦煌市莫高窟第85窟北壁。
圖中佛結跏趺坐于殿堂內，作説法狀；上方幻化寶幢、千佛；下方爲聽法菩薩、天人；下面臺上有樂舞天人。最下面有各種説法場面。

[石窟寺壁畫]

藻井圖案
唐
位于甘肅敦煌市莫高窟第85窟窟頂。

藻井略呈長方形，井心飾臥獅、雲紋、蓮花。四周飾回紋、菱形紋、靈鳥捲草及垂角、瓔珞流蘇垂幔。外周飾飛天。

甘肅敦煌莫高窟（公元三六六年至公元一三六八年）

[石窟寺壁畫]

甘肅敦煌莫高窟（公元三六六年至公元一三六八年）

觀無量壽經變畫
唐

位于甘肅敦煌市莫高窟第12窟南壁。

畫面表現阿彌陀西方净土世界。圖上方畫天宮樓閣；中間阿彌陀佛結跏趺坐于蓮花座上，作説法狀；兩側爲觀世音、大勢至菩薩；下方有聽法菩薩和樂舞天人；臺榭周圍繞七寶池、八功德水。

天王

唐

位于甘肃敦煌市莫高窟第12窟前室西壁北侧。

图中天王头戴双翼冠,身着甲衣,腰间饰兽头,左手持覆钵塔,右手执兵仗。此天王为北方毗沙门天王。

[石窟寺壁畫]

甘肅敦煌莫高窟（公元三六六年至公元一三六八年）

如意輪觀音
唐

位于甘肅敦煌市莫高窟第14窟北壁。

如意輪觀音爲密教觀音部觀音之一。圖中如意輪觀音半跏坐于蓮座上，頭戴三寶冠，冠中有化佛。六臂，左手執如意輪，上方有三化佛。下方有一水池，內有兩天人，旁邊爲天王、伎樂天人形象。

[石窟寺壁畫]

藻井圖案
唐
位于甘肅敦煌市莫高窟第14窟窟頂。

藻井中心畫兩個相交成"十"字形的金剛杵，飾以方勝紋、團花紋。四面各畫四方佛赴會說法相。方井外有石榴捲草紋邊飾及垂角帷幔。

甘肅敦煌莫高窟（公元三六六年至公元一三六八年）

[石窟寺壁畫]

甘肅敦煌莫高窟（公元三六六年至公元一三六八年）

觀世音菩薩
唐

位于甘肅敦煌市莫高窟第14窟南壁西側。此圖爲密宗觀音造像。觀音菩薩頭戴寶冠，戴項圈、臂釧，袒上身，衣裙輕薄貼體，結跏趺坐于蓮座上，手作法界定印。

外道
唐

位于甘肅敦煌市莫高窟第9窟南壁。圖中外道左手扶鼓架，右手持鼓槌，其右側一蛇。

[石窟寺壁畫]

史迹故事 瑞像
唐
位于甘肅敦煌市莫高窟第9窟甬道頂部。
中間畫面繪優填王造像和毗沙門決海等史迹故事；兩斜披上排列瑞像圖，有施珠瑞像、分身像等內容。

甘肅敦煌莫高窟（公元三六六年至公元一三六八年）

[石窟寺壁畫]

白描人物

唐

位于甘肅敦煌市莫高窟第9窟中心柱西向面。

圖中繪一殿堂，前方擺供桌、供品；有兩人物戴官冠，手執笏，着寬袖長袍，其中一人以手遮面防吹來之風。

甘肅敦煌莫高窟（公元三六六年至公元一三六八年）

[石窟寺壁畫]

文殊經變畫
唐
位于甘肅敦煌市莫高窟第9窟東壁北側。

圖中文殊菩薩半跏趺坐于獅子上，左手托一鉢，上方爲寶珠華蓋；下方有一牽獅昆侖奴；旁邊有天龍八部，冠上有龍、蛇等，另有伎樂天。

甘肅敦煌莫高窟（公元三六六年至公元一三六八年）

[石窟寺壁畫]

弟子

唐

位于甘肅敦煌市莫高窟第107窟西壁龕内北側。
圖中左側年老比丘者爲迦葉，披山水紋袈裟，旁爲兩年輕弟子，神態恭敬。

甘肅敦煌莫高窟（公元三六六年至公元一三六八年）

[石窟寺壁畫]

甘肅敦煌莫高窟（公元三六六年至公元一三六八年）

佛光紋飾

唐

位于甘肅敦煌市莫高窟第196窟中心佛壇上背屏。畫面左側爲波狀忍冬海石榴花紋，兩側畫兩鸞鳳銜枝；右側爲變形忍冬紋。

[石窟寺壁畫]

勞度叉鬥聖經變畫
唐
位于甘肅敦煌市莫高窟第196窟西壁。

圖中表現舍利弗菩薩與外道勞度叉鬥法，舍利弗安坐高臺蓮花寶座上，頭頂有菩提華蓋。

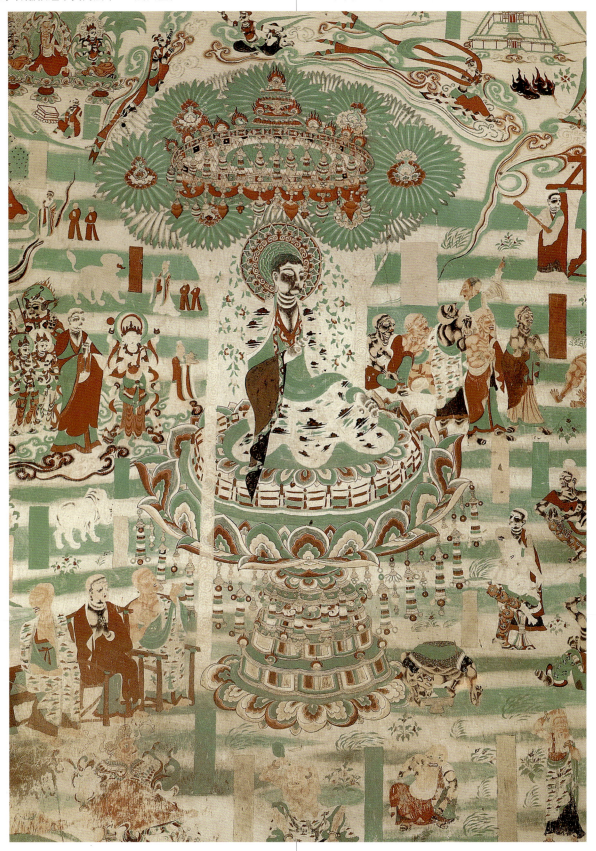

[石窟寺壁畫]

勞度叉鬥聖經變畫
唐
位于甘肅敦煌市莫高窟第196窟西壁。

圖中勞度叉婆羅門外道裝束，袒上身，坐于高臺寶帳中，臺子被沙門方面吹來的狂風刮得欲傾倒，其信徒、弟子正作搶救。下方爲被風刮倒的弟子。

甘肅敦煌莫高窟（公元三六六年至公元一三六八年）

[石窟寺壁畫]

外道皈依
唐
位于甘肅敦煌市莫高窟第196窟西壁。

爲"勞度叉鬥聖經變畫"之局部。畫面表現外道剃髮和洗頭的兩個場面。

甘肅敦煌莫高窟（公元三六六年至公元一三六八年）

[石窟寺壁畫]

風神
唐
位于甘肅敦煌市莫高窟第196窟西壁。

爲"勞度叉鬥聖經變畫"之局部。圖中風神手持風袋，正在放風。

甘肅敦煌莫高窟（公元三六六年至公元一三六八年）

[石窟寺壁畫]

普賢經變畫
唐
位于甘肅敦煌市莫高窟第196窟東壁北側。

圖中普賢菩薩乘白象，四周滿繪聽法菩薩，共計近六百身。

甘肅敦煌莫高窟（公元三六六年至公元一三六八年）

千佛

唐

位于甘肃敦煌市莫高窟第196窟窟顶北坡。

此千佛图中有部分榜题清晰可辨，在莫高窟的千佛图中较为少见。

甘肃敦煌莫高窟（公元三六六年至公元一三六八年）

[石窟寺壁畫]

甘肅敦煌莫高窟（公元三六六年至公元一三六八年）

大勢至菩薩
唐
位于甘肅敦煌市莫高窟第196窟南壁下部。
圖中菩薩頭戴寶冠、臂釧，袒上身，繞帔帛，作徐行狀。榜題爲"南無大勢至菩薩"。

[石窟寺壁畫]

供養比丘
唐

位于甘肅敦煌市莫高窟第345窟甬道南壁。圖中三老年比丘，披袈裟，手捧花盤和香爐，作供養狀。

甘肅敦煌莫高窟（公元三六六年至公元一三六八年）

[石窟寺壁畫]

甘肅敦煌莫高窟（公元三六六年至公元一三六八年）

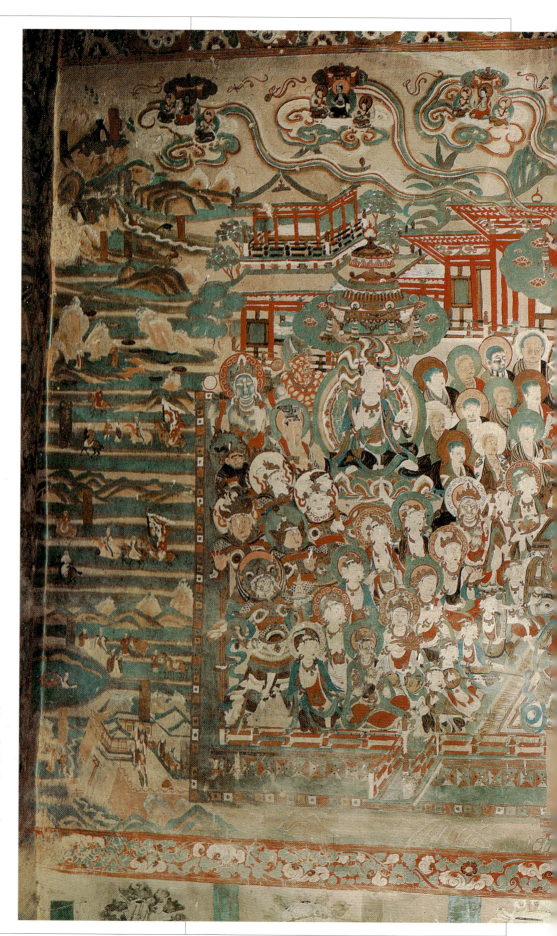

報恩經變畫
唐
位于甘肅敦煌市莫高窟第138窟東壁北側。畫面中部爲佛説法情景，兩側爲弟子、菩薩、天王等脅侍。下部爲舞伎于地毯上起舞。

【 石窟寺壁畫 】

甘肅敦煌莫高窟（公元三六六年至公元一三六八年）

[石窟寺壁畫]

甘肅敦煌莫高窟（公元三六六年至公元一三六八年）

維摩詰經變畫
唐
位于甘肅敦煌市莫高窟第138窟東壁。畫面中部繪城門，文殊菩薩居右側，坐須彌座，維摩詰居左側，坐于寶帳中。

[石窟寺壁畫]

甘肅敦煌莫高窟（公元三六六年至公元一三六八年）